CB011671

Abandonado

Vinícius Pinheiro

Abandonado

GERAÇÃO

1ª edição - Abril de 2015

Grafia atualizada segundo o Acordo Ortográfico da Língua Portuguesa de 1990,
que entrou em vigor no Brasil em 2009

Editor e Publisher
Luiz Fernando Emediato

Diretora Editorial
Fernanda Emediato

Produtora Editorial e Gráfica
Priscila Hernandez

Assistente Editorial
Adriana Carvalho

Assistente de Arte
Nathalia Pinheiro

Capa
Thiago de Barros

Diagramação
Wilson Garcia e Manuel Miramontes

Preparação
Sandra Dolinsky

Revisão
Josias A. Andrade
Marcia Benjamim

Dados Internacionais de Catalogação na Publicação (CIP)

(Câmara Brasileira do Livro, SP, Brasil)

Pinheiro, Vinicius
Abandonado / Vinicius Pinheiro. -- São Paulo :
Geração Editorial, 2015.

ISBN 978-85-8130-098-6

1. Romance brasileiro I. Título.

15-01716 CDD-869.93

Índice para catálogo sistemático:

1. Romances : Literatura brasileira 869.93

GERAÇÃO EDITORIAL
Rua Gomes Freire, 225 - Lapa
CEP: 05075-010 - São Paulo - SP
Telefax : (+55 11) 3256-4444
E-mail: geracaoeditorial@geracaoeditorial.com.br
www.geracaoeditorial.com.br

Impresso no Brasil
Printed in Brazil

1

Você deve imaginar como me senti: ludibriado, à primeira vista, ao me deparar com a figura dela a brincar entre os cubos de gelo do drinque transparente com o canudo colorido, o biquinho no formato de um beijo cerrado, os dedos pequenos e os olhos concentrados na tarefa. Ludibriado, pois a cena não passava de uma fraude; ela notara minha presença e esforçava-se em chamar minha atenção de forma premeditada. Ludibriado, e eu quase poderia adivinhar seu nome se ela não se antecipasse e soletrasse uma a uma as letras, C-L-A, formando uma pequena onda de calor e saliva nos lábios antes da segunda e derradeira sílaba, R-A.

Ela podia muito bem se passar por uma ninfeta em um livro de Nabokov, mas éramos ambos bem adultos. Desfrutávamos do coquetel servido dentro de uma sala de cinema, durante um festival alternativo qualquer financiado com recursos públicos. As pessoas se acotovelavam para ficar mais perto dos atores, a maioria gente famosa que não se incomodava em tirar a roupa diante das câmeras de um diretor respeitado em troca de um pouco de prestígio. Isso sem falar nos diálogos, esses sim uma verdadeira indecência.

Sem deixar transparecer, acompanhava o movimento com um sentimento de admiração e inveja, imaginando-me um dia no centro dos holofotes ao lado de uma garota tão interessante quanto ela, aparentemente alheia à cena. Sentada em um tamborete em frente a um bar improvisado na parte de trás da sala, encarava--me de baixo para cima como uma criança, os contornos suaves agravados de forma artificial pela maquiagem ao redor dos olhos. Os cabelos — negros, longos e encaracolados, algumas mechas orbitando livres o rosto — ressaltavam um aspecto selvagem sob a palidez da iluminação do local.

Atordoado e um pouco confuso, excitado talvez, custei a me fixar no nome quando se dirigiu a mim. *Clara*, ela disse não num tom de apresentação, mas como um verbo intransitivo. *Clarear*, e as luzes da sala de projeção de súbito voltaram à vida, de forma irregular e no lugar exato onde nos encontrávamos. *Clara!* Como reagir à imagem desse nome com tantas possibilidades estendidas diante de mim sem fazer referência a algum escritor depravado? Não demorou até a poesia dar lugar a pensamentos bem menos inspirados. Havia dentro de mim um vulcão há muito inativo e pronto para derreter Pompeia novamente.

De uns tempos para cá, minha relação com as mulheres evoluíra a um plano superior ao sexo. Não por livre e espontânea vontade, é claro. Desde que comecei a viver na república, faltava-me o ambiente necessário para uma abordagem de maior fôlego. As amigas dos meus colegas de apartamento tornavam-se apenas minhas amigas sem que eu pudesse impedir. De minha parte, houve um pouco de desinteresse também, um charme premeditado pelas circunstâncias. Pela forma como me abordou, era como se Clara há muito me esperasse, muito antes de qualquer pretexto que me fizesse dizer mentiras e frases de efeito para levá-la para a cama.

— Disseram-me que você é Alberto Franco — prosseguiu ela antes que eu pudesse tomar o fôlego necessário para me apresentar.

— Alberto Franco? — repeti, surpreso e também um pouco incomodado pela falta de habilidade verbal, arrebatado tanto pela presença dela como pela inesperada revelação de que ela sabia quem eu era.

— Já ouvi falar muito de você — falou.

— Espero que sua fonte não seja nenhum gerente de banco — brinquei, em uma tentativa de sair da retranca e tomar o controle do jogo.

— Não se preocupe, as referências foram ótimas — ela respondeu, sorrindo. — Você não vai acreditar, mas já nos conhecemos. De vidas passadas.

— Você acha que eu me esqueceria de um rosto como o seu?

— Ah, pode ter certeza que não! Mas é provável que você tenha reconhecido minha voz — ela disse, confiante e com um sorriso, pegando-me de surpresa, pois era eu quem estava no ataque. — E o que anda escrevendo, além de cheques sem fundo? — perguntou.

— Nada além de reportagens. Agora sou da imprensa. Trabalho com Daniel Provença.

— O idiota que escreve sobre cinema no *Jornal*?

— Nós moramos juntos. Quer dizer, dividimos apartamento. Mas não temos nada mais em comum...

— Tenho certeza que sim. Eu assisti ao seu curta — ela disse.

Ouvir qualquer referência ao meu trabalho em cinema me deixava um tanto inquieto. No tempo em que era apenas uma jovem promessa sem futuro — a última parte ainda é verdadeira —, escrevi e dirigi um filme de treze minutos livremente inspirado na Bíblia. A ideia original era rodar a história com chimpanzés representando os profetas, mas em virtude das restrições orçamentárias, contentei-me com reunir bichos de pelúcia com perucas e barbas postiças. A Igreja e a sociedade protetora dos animais se sentiram ofendidos e impediram a exibição pública do curta, que, mesmo assim, foi selecionado em vários festivais internacionais e até ganhou um prêmio especial de "Contribuição ao Uso Artístico da Arte" na tradicional mostra de Bratislava.

— É um trabalho de formação — eu disse usando minha resposta-padrão, inteligente o suficiente para demonstrar humildade e ao mesmo tempo justificar minha incompetência. — E você deve ser atriz.

— Não foi difícil adivinhar...

Evidente que não. Em um lugar como aquele, não havia muitas alternativas. E pela maneira como sorriu e me encarava, com uma profundidade quase inconsciente, logo deduzi que estava diante de alguém que sabia representar.

— Foi você quem disse que nós já nos conhecíamos de vidas passadas. Ou então eu a vi em algum filme — menti.

— Minha voz é mais conhecida que meu rosto. Mas é provável que você tenha me visto de relance em *Tropa de Morte 2*. A cena da chacina, sabe?

Eu podia ou não haver assistido ao filme, mas acenava com a cabeça de modo assertivo aos comentários e observações dela. Afinal, havia ao menos uma dúzia de filmes nacionais da safra recente com cenas de violência explícita. Eu conhecia em detalhes o roteiro de uma aproximação como a nossa, desde os drinques, os assuntos da conversa, até as primeiras iniciativas, que culminaram num beijo um tanto torto, bem pouco cinematográfico, por isso muito mais vivo.

Levei-a para casa depois do evento, apreensivo com a possibilidade de encontrar Renato derrubado e babando no sofá da sala; talvez uma reunião de jornalistas e intelectuais afins promovida por Daniel na mesa da cozinha; ou ainda um amontoado de peças de computador deixadas para trás por Nélio. O mais comum seria encontrar as três situações ocorrendo ao mesmo tempo. Naquele começo de noite, porém, uma paz suspeita imperava em todos os ambientes do apartamento de três quartos, 90 metros quadrados, uma vaga na garagem — não fosse a tevê ligada para os fantasmas que assistiam a um filme reprisado, podia jurar que uma das vozes dubladas na tela era de Clara.

Meu quarto encontrava-se em situação pior. Logo eu, que prezava tanto a organização, deixara roupas espalhadas sobre a cama de solteiro, objetos e papéis desarrumados no pequeno armário e vários pares de sapatos desordenados no chão, fruto de uma dificuldade de encontrar uma combinação de roupa adequada tanto para o trabalho como para o cinema horas depois.

— Você não está nem um pouco curioso? — ela perguntou.

— Curioso não é bem a palavra — brinquei. Depois de algumas doses de bebida barata, eu me tornava o ser mais espirituoso do universo.

— Espere — ela disse, ao impedir minha investida. — Não quer saber por que eu o procurei?

— Ora, então existe uma segunda intenção?

— Acho que estamos na segunda intenção neste momento. Mas há uma terceira.

Um pouco confuso, esperei que revelasse o significado do jogo de palavras.

— Queremos que você escreva o roteiro do filme.

Em algum momento da conversa, Clara revelou algo sobre ter conseguido um papel de destaque em um longa-metragem, do qual também era assistente de produção, no típico trabalho mambembe do cinema nacional. Sentada ao meu lado na ponta da cama, ela me contou com detalhes o projeto, a adaptação de um livro desconhecido de um escritor qualquer, cujos direitos foram comprados por uma pechincha. Nenhum dos vários roteiristas profissionais contratados entregou um projeto satisfatório. Desde o começo, disse ela, a pessoa mais indicada para fazer o trabalho era Alberto Franco. Eu tentava ouvi-la com atenção, uma tarefa ingrata diante da penumbra e da proximidade dos corpos. Havia um fio desencapado dentro de mim prestes a provocar um curto-circuito. E se ela não cedesse logo seria capaz de criar outras tantas metáforas infames sobre o assunto.

Consciente da impossibilidade de competir com ela própria, Clara me empurrou da cama e se despiu depressa, embolando suas roupas entre as minhas. Depois, puxou o lençol com força e levou ao chão todo o conteúdo sobre ele, para logo depois puxar novamente o lençol e se cobrir, deitada na cama. Sem dizer nada, convidou-me a acompanhá-la.

De súbito, eu me surpreendi preocupado, sem saber muito bem como dar o próximo passo, uma sensação estranha e agradável, de certo modo. Não que nenhuma mulher nesse ínterim entre virgindade e Clara não tenha me provocado algum tipo de perturbação. Poderia bem responsabilizar a razoável temporada de castidade autoimposta pelo impasse diante do corpo nu dela, se quisesse somente arrumar uma desculpa para o caso de algo dar errado logo mais.

Não, era algo que ainda não sabia explicar e que talvez nem tivesse alguma lógica. Eu nunca havia levado uma mulher tão rápido para a cama, nem mesmo uma prostituta. O corpo nu, ou melhor, a presença de Clara me intimidava, não a ponto de impedir que também me livrasse das roupas e deslizasse para o abrigo de sua pele branca, cercada de pintas isoladas, pequenas tatuagens localizadas em pontos estratégicos e um imenso calor. Nos seios discretos, detive-me por semanas, enquanto fincava os dedos nos glúteos também pequenos, preenchidos de maneira uniforme. A todo momento sentia-me coberto e protegido pelos longos cabelos cacheados que emulavam uma manta. Ela também me percorria sem pressa e com violência, queimando-me com os lábios onde tocava. Estivemos juntos, tirando prazer do silêncio dos nossos movimentos como, quem sabe, um dia tive a intenção de registrar em alguma história, se a censura permitisse.

Ainda sob a impressão do orgasmo, deslocou-se no estreito espaço da cama até suas mãos alcançarem a bolsa, de onde apanhou um maço de cigarros e um isqueiro brilhante. Na sequência, posicionou as costas na grade de madeira da cama e aspirou para si um pouco do câncer portátil.

— Você se incomoda? — perguntou antes de soltar uma longa baforada no meu rosto.

Da perspectiva histórica de onde nos encontramos neste instante, reflito que esse foi o momento decisivo da nossa relação. Clara, com o cigarro na boca, sabia que podia pôr fogo em todo o quarto se desejasse. Caso eu, contrariado ou não, ameaçasse impedi-la, um mundo de novas possibilidades — melhores ou piores, não sei — se abriria para nós.

— Se quiser se matar, vá em frente — reagi, sem convicção, exilando-me no banheiro.

Ainda pude escutar o toque do celular dela antes de entrar, um bate-estaca eletrônico capaz de acordar o vizinho do condomínio ao lado. Meu rosto no espelho exibia as marcas de um cansaço triunfante. O que diriam meus nobres colegas de república ao me verem ao lado de alguém como Clara? Não, era preciso espalhar a novidade a mais gente, exibi-la em praça pública, em cadeia de rádio e televisão, ou quem sabe algo de impacto ainda maior: anunciar a boa-nova em alguma rede social na internet.

Imaginei encontrá-la dormindo ao voltar, extenuada pela energia despendida e compartilhada comigo. Ela, porém, continuava falando ao telefone, entre cochichos e risadas abafadas. Não resisti à tentação de ouvir a conversa, ao menos parte dela, atrás da porta. Clara devia saber que eu a espionava, pois ouviu o barulho da descarga e depois a porta se abrindo. Eu sabia que comentavam sobre mim, e pelas risadas desferidas enquanto empestava o quarto de fumaça cancerígena, também tinha uma noção sobre o que falavam, e cada gargalhada representava uma facada pelas costas na minha autoestima. Ainda esperei algum tempo depois de ela desligar o telefone para voltar à cama.

— Já estava preocupada com você. Dor de barriga?

— Quem era no telefone?

— Uma amiga, você não conhece.

— Parecia ser uma amiga muito íntima.

— Escutando as conversas dos outros? Não esperava isso de você — replicou, rindo.

— Só ouço quando dizem respeito a mim.

— Não faça drama nem tente entender esse papo de mulher.

Depois de equilibrar o resto do cigarro sobre uma embalagem de CD improvisada como cinzeiro, puxou-me para junto dela, como uma forma de consolo.

— Quer saber? Ninguém nunca reclamou da minha *performance* antes.

— Não que você saiba, não é mesmo?

É claro que, se dependesse de mim, tiraríamos a questão a limpo o quanto antes. Antecipando-se ao movimento, Clara me puxou para junto dela e prosseguiu:

— Deixe de ser paranoico. Acabei de avisar que você está dentro.

— Não estou mais. Bem, eu sei que posso me segurar um pouco mais. Acho que foi o álcool e...

— Estava falando sobre o filme. Mas vou cobrar essa promessa — ela disse, rindo e sacando da bolsa um pequeno gravador. — Gostei desse nosso diálogo, vamos gravá-lo.

— O quê? Você estava gravando tudo? — perguntei.

— Não, bobo! Eu uso isto para decorar meus textos e também para gravar frases legais que ouço das pessoas.

— Pois, então, prepare-se para comprar muitas fitas — respondi, em outra fala de impacto, já que o aparelho era digital.

Mais tarde, ao ouvir minha voz na gravação, me senti um pouco estranho. Sempre a imaginei um pouco mais grave e eloquente.

— Franco, só me faça o favor de não se apaixonar. Pode não parecer, mas sou uma pessoa perigosa.

— Eu digo o mesmo, garota — falei, sem me dar conta que já nos imaginava juntos, com uma penca de filhos em uma casa com varanda, no clássico sonho de quem cresceu catequizado por enlatados americanos.

Resignado, acabei por adormecer no travesseiro baixo formado pelos seios dela, feliz, embora um pouco menos confiante.

Não pense que é fácil lhe revelar detalhes tão íntimos, e só o faço porque sei que você, de um jeito ou de outro, acabaria sabendo de tudo.

2

Você sabe, quase posso sentir sua inquietação. Ela transpira comigo enquanto escrevo este texto e você o lê, num movimento a princípio simultâneo para quem nos vê de dentro para fora. Da perspectiva de onde você se encontra, não importa se levei dias ou anos para escrever, tampouco a ordem dos acontecimentos. É preciso dizer: no dia em que Daniel me veio com a proposta de emprego, eu nem sequer sonhava em lhe escrever e ainda não conhecia Clara Bernardes. Você deve pensar que não há nada de especial em receber uma proposta de emprego — ainda que os tempos econômicos não estivessem assim tão favoráveis —, mas não era uma proposta qualquer. Pensando bem, foi uma proposta parecida com outra qualquer, menos para quem, como eu, não estava acostumado com boas notícias.

Na época, andava com uma ideia fixa: a de que todos queriam me foder. Poderia bem ser uma forma de culpar os outros pelos meus próprios erros. Mas não. Foi a partir da oferta de emprego que as linhas começaram a se entrelaçar, como pude constatar enquanto pensava em como começar a lhe escrever. Na ocasião, imaginei o contrário, era um extraordinário acaso ele pensar justo em mim para o emprego. Eu, em um emprego. Soava até estranho.

— Vamos ver se entendi — falei devagar. — Eu, num jornal.

— Num jornal, não. No *Jornal*, um dos maiores do país.

— Até ontem, você reclamava que só velhos senis ainda liam jornal...

— Qual o problema, vai ficar escolhendo emprego agora? — pressionou.

— Não é isso, é que não sou jornalista, você sabe.

— Não esquente, isso não é importante.

— Como não? Você não estudou vários anos para ser jornalista?

— Bobagem.

— Ora, você me deixaria fazer uma operação sem ser médico?

— Espere, Franco, não confunda as coisas. Em primeiro lugar, jornalista e médico são profissões bem diferentes. Você não vai operar ninguém, só escrever, e isso você faz bem, não? Segundo, se não quiser o emprego, depois não venha com aquele papo de que todo mundo só quer foder você.

— É claro que quero o emprego — interrompi. — Sei escrever, isso eu sei, sou a pessoa certa. Fiquei meio confuso no começo...

— Acho melhor você se "desconfundir", porque está devendo dois meses de aluguel para o Nélio.

Parecia mais simples para Daniel me convencer usando como argumento a dificuldade financeira momentânea pela qual eu passava. O negócio de planos de saúde em que me metera havia muito deixara de ser uma promessa de renda fácil. Estava arrebentado devido à rotina que incluía sair de casa cedo, com a pasta lotada de contratos em branco, material publicitário e um guia de ruas da cidade. Como se não bastasse o peso, havia todo um ritual para o traje: calça, camisa social e gravata, o colarinho vários centímetros menor que o diâmetro do meu pescoço, além do rosto sempre cortado por causa da barba feita todas as manhãs até o limite de tolerância da pele. Mesmo antes de ter certeza de que conseguiria o trabalho como jornalista, fui à sede da empresa devolver as bugigangas e dizer que estava fora. Se não o fizesse poderia ser cobrado pelo material. Ao menos teria uma boa desculpa quando me questionassem sobre as razões do abandono do negócio, que eles chamavam "sociedade".

— Nós investimos em você, pagamos uma semana de treinamento com os maiores especialistas em vendas, *marketing* e autoajuda — dizia o homem que me recrutou para o trabalho. Ele tinha razão. Um dos meus instrutores inclusive era autor de um best-seller com o instigante título *Faça (por) você mesmo.*

Nem todo o investimento foi suficiente no meu caso. Durante a empreitada, vendi apenas quatro planos, dois deles cancelados com menos de uma semana, o que me fez perder o direito à magra comissão. Mesmo me mostrando um fracasso, eles diziam acreditar no meu potencial. "É uma fase ruim", insistiam. Assim, sempre que ameaçava desistir do posto, convenciam-me a reconsiderar a decisão e voltar para casa com a mala ainda mais abarrotada de contratos em branco e um novo exemplar de *Faça (por) você mesmo*, cujo valor seria descontado das comissões que eu viesse a receber. Era um bom livro, de qualquer maneira.

Foi necessário quebrar a cara várias vezes até me dar conta da minha completa falta de talento para vender o que quer que fosse. O meu verdadeiro dom era escrever, reconhecido de forma notória pelos que conviviam comigo, como meu nobre colega de república, ele próprio um profissional no assunto. Daniel talvez houvesse se convencido dos meus dotes jornalísticos ao ler por engano algum dos extensos bilhetes que eu deixava para nossa faxineira todas as terças e quintas-feiras pela manhã, com instruções detalhadas sobre o processo de lavagem de cada uma das minhas roupas ou sobre como as camisas deveriam ser passadas. A cada novo recado eu procurava aprimorar a técnica narrativa. Ali estavam todos os elementos para um grande roteiro cinematográfico, ou, ao menos, um monólogo sem importância inserido no início da história, com o objetivo de introduzir a personagem principal, que poderia bem ser nossa faxineira se a ela não estivesse reservado o papel de figurante.

Sempre considerei o cinema a melhor forma de expressar minhas ideias. Jamais consegui imaginar uma sequência de linhas com sentenças elaboradas uma atrás da outra sem a possibilidade de um recurso audiovisual. Herança das horas indiscriminadas que passei na frente da tevê durante a infância e adolescência, eu pensava. Parecia-me mais simples e funcional criar cenas inteiras na imaginação, que precederiam outras situações, com personagens e locações distintas.

Com o passar do tempo, fui desistindo da pretensão de trabalhar com cinema. Se me tornar jornalista fosse o degrau máximo da cadeia alimentar que pudesse alcançar, eu me daria por satisfeito. A nova profissão me daria a oportunidade de explorar outras formas de expressão — os bilhetes para a faxineira estavam com as possibilidades dramáticas quase esgotadas.

De alguma forma, ou talvez pelo fato de ser o único candidato, fui aprovado na seleção e cheguei à entrevista com o editor-chefe do *Jornal*, de quem eu ainda não sabia nem o nome — nem decorei depois, porque o chamavam apenas pelo apelido, "Tora", um brutamontes que devia pesar uns 150 quilos.

— Percebi pelo seu teste que você escreve bem. Logo vi que não podia ser jornalista — comentou depois de examinar meu currículo. Ao lado dele, o editor que seria meu chefe direto na redação me olhava com ar entediado.

— É, eu escrevo bem! Sou roteirista, trabalho com cinema e...

— *Ok*, mas escrever bem não quer dizer nada — continuou sem me dar atenção. — Já me basta o Provença e aquelas outras bichas de cabelo colorido e argola no nariz escrevendo sobre cinema. Estamos em busca de alguém que esteja disposto a se sujeitar às maiores humilhações em troca de um salário miserável, mas estável.

— Estou disposto a fazer qualquer coisa — respondi, animado.

— Além do mais — continuou —, qualquer idiota faria o trabalho, e não parece ser o seu caso...

Apenas concordei com a cabeça, um pouco lisonjeado e perplexo.

— Esqueça o Provença, não há espaço para muitos dele no *Jornal*. E você tem potencial para crescer aqui dentro, e não só para os lados, como no meu caso — exclamou o editor antes de soltar uma longa gargalhada, a qual fui compelido a acompanhar.

— Não vamos mais discutir, por mim está tudo certo, o que você acha, William? — perguntou dirigindo-se ao editor.

— A indicação foi do Provença, eu não me responsabilizo...

— Você não se responsabiliza por nada, não é mesmo? — atravessou. — Veja — prosseguiu dirigindo-se a mim —, a grana é pouca, mas como você é foca, estamos quites, *ok*? — replicou gesticulando na minha direção com os três dedos estendidos e o indicador grudado ao polegar formando um círculo.

Assustado com o gesto e a presença de Tora, que ocupava quase todo o meu raio de visão, não soube o que dizer. Parecia tudo ótimo e rápido demais.

— Você vai trabalhar com o pessoal da internet, é o futuro dessa porcaria toda aqui. Por isso, precisamos de alguém esperto para filtrar as merdas que os nossos repórteres escrevem — prosseguiu. — Vá aprendendo durante a semana, que eu quero você decolando sozinho até este sábado.

— No sábado? Eu vou trabalhar no sábado? — reagi.

— E no domingo também. Você é um jornalista, queria o quê?

— As notícias não tiram folga — intrometeu-se William, confiante.

— Ora, pelo amor de meu Deus! Deixe de ser ridículo, eu quero que você e as notícias se fodam! O garoto está certo de querer relaxar um pouco — zombou Tora batendo a mão na mesa com força e quase virando o copo plástico cheio d'água que jazia ao lado de uma montanha de papéis perto dele.

— E o que vou fazer, afinal? Confesso que não entendi esse papo de foca e de filtrar merdas — perguntei.

— Está enganado, você entendeu muito bem, rapaz! Você tem futuro aqui — disse Tora, mais uma vez às gargalhadas.

— Na maior parte do tempo, você vai apertar botões, como numa fábrica, mas pode sobrar alguma coisa para escrever também — respondeu William retomando a confiança, embora sem se arriscar.

— Nada demais, garoto: esportes, política, chacina, o que aparecer. Não quero assustá-lo por enquanto; apareça amanhã e o pessoal lhe mostra os detalhes — falou Tora, que não conseguia se calar nem ouvir o que os outros tinham a dizer. Incrível como uma pessoa dessas podia ser um jornalista.

Eu tinha mais com que me preocupar, pois nada entendia de esportes, política ou chacina e tampouco era credenciado para a função. Na verdade, não havia ninguém mais desinformado que Alberto Franco. Eu nunca lia jornais nem usava a internet para saber das novidades, no máximo acompanhava algumas polêmicas sobre algum deputado corrupto ou o último crime que barbarizara a sociedade. Muito pouco para quem precisava informar essa mesma sociedade — com perdão da má palavra.

Tora me tomou pelo braço e desta forma atravessamos toda a redação até alcançar a mesa do meu amigo.

— O cara é bom, Provença! Chegou até a me intimidar — disse ele em voz alta.

— Eu falei para ter cuidado com ele, Tora — respondeu.

— Fique à vontade, rapaz. Depois alguém vai procurá-lo e lhe pedir uns documentos; nem me pergunte, porque não tenho a menor ideia de como isso funciona — falou antes de nos dar as costas indo em direção à mesa de outro editor, sempre aos berros.

E se não trucidei Daniel no instante seguinte foi porque, no interlúdio, passou-me pela cabeça que ter conseguido o emprego era algo bom. E também porque ele demonstrou não saber em que espécie de cilada me colocara.

— Jornalismo é isso — ele reagiu quando lhe contei a novidade.

— Mas vou ter que trabalhar nos finais de semana. Quando vou ter tempo para escrever os meus filmes?

— Que filmes, Franco? Nunca o vi escrever nada. Além do mais, as notícias não tiram folga!

— Puxa, nunca havia parado para pensar nisso. É o tipo de comentário que Tora adoraria ouvir — recomendei.

— Ouça, vai dar tudo certo, acredite. Existem verdadeiros analfabetos trabalhando por aí. Nunca vi alguém ser demitido por incompetência nesta redação. Você não vai ser o primeiro.

Eu não tinha a mesma confiança, mas com o tempo comecei a gostar da rotina. Tinha meu próprio computador, com senha e até *e-mail*, tudo à disposição para resolver problemas que nunca tive antes. Daniel e Tora tinham razão: não era preciso ser nenhum gênio da escrita para desempenhar a função. Os repórteres ditavam os textos por telefone ou mandavam para o seu *e-mail*, você lia, corrigia uma letra trocada aqui e uma concordância incorreta ali, acrescentava um título — quase sempre um resumo em três ou quatro palavras do primeiro parágrafo mais um verbo de ação — e depois seguia os procedimentos tecnológicos burocráticos até ver a matéria na página da internet do *Jornal*. Cheguei a ganhar elogios pela velocidade com que aprendi a técnica, e no final de alguns dias, já esclarecia dúvidas de gramática entre meus colegas.

Depois de ser ridicularizado no primeiro dia por ter ido trabalhar de gravata, conquistei a confiança do pessoal ao pedir para pagarem minha conta no almoço, um gesto interpretado como de extrema ousadia. Optei por não repetir o truque, como todo bom trapaceiro, e passei a comer em uma lanchonete próxima a um velho depósito de papel, onde a comida era mais barata, apesar da qualidade duvidosa. Ao final da semana, estava tão esgotado, que era como se houvesse feito parte de todas as notícias que passaram pelo meu computador. Antes cansado que sem emprego nenhum, embora em algum lugar de minha mente insistisse em pensar que seria pior de qualquer maneira, sempre.

Pode parecer paranoia à primeira vista, eu sei. Guardadas as proporções de tempo, espaço e qualidade literária, sentia-me como um personagem de Homero, reclamando da vida aos deuses ao lado de uma bela ninfa imortal em uma ilha paradisíaca. Eu era somente mais um esquizofrênico cercado de grades e luzes, e se o emprego no *Jornal* me incomodava tanto, melhor seria voltar a vender planos de saúde de porta em porta e esquecer o assunto, não é verdade? Sim, eu aceitaria de bom grado seu conselho se não soubesse que até essa suposta benevolência poderia ser apenas outra forma de me iludir.

3

Quando Clara se qualificou como perigosa, e até registrou a fala no gravador, na hora não ousei duvidar, mas também não lhe dei muito crédito. Até o dia em que voltou a aparecer na república, cercada de malas. Quando voltei do trabalho ela estava sentada no sofá da sala, assistindo a um filme na tevê acompanhada de Renato. Ao me ver, deu uma piscadela com o olho esquerdo, sem tirar a atenção da sequência de suspense à frente dela. Na cozinha, Daniel fazia ruídos típicos de quem prepara algo para comer.

A voz forte e ao mesmo tempo doce de Clara parecia sair da tela da tevê, da boca da mocinha assustada. Tornei a olhar para ela, que permanecia imóvel como um ventríloquo ao lado do meu amigo enquanto a heroína continuava a se lamentar na tela.

— É a voz dela mesmo — esclareceu Renato. — Ela é dubladora. Mesquinho, não?

— Atriz e dubladora — completou Daniel chegando da cozinha.

Clara voltou a me encarar e apontou com os olhos as duas malas, enquanto na tevê a voz dela ordenava: "Rápido! Ou você quer que eles nos peguem?".

Ou se tratava de um grande mal-entendido ou a situação entre nós caminhava um pouco rápido demais. Pelo visto, a situação dela foi acertada durante minha ausência. Não era a primeira vez que recebíamos hóspedes — o próprio Renato chegou à casa nessa condição. Sem o insensível do Nélio por perto, convencer meus amigos a aceitá-la não deve ter sido difícil, ainda mais para uma atriz. Atriz e dubladora.

Ainda não conseguia encontrar a relação entre o filme e a presença de Clara e suas malas na república. Se desejasse somente me dar um emprego de roteirista não precisava ter transado comigo, nem ter ido morar na república. "É apenas por um tempo", garantiu. Mas eu sabia que ela desejava algo mais de mim, enquanto eu só desejava *o* algo mais dela.

Clara me disse pouco sobre o livro que a produtora desejava levar para o cinema. Ela nem sequer me deixava folhear a cópia que carregava consigo. Eu tremia com a responsabilidade de adaptar uma obra que nem conhecia, porém, teria agarrado a chance sem pensar se houvesse surgido até pouco tempo atrás. Não agora que Alberto Franco se tornara jornalista, uma voz influente na opinião pública, um cidadão que, num prazo de dois anos, provavelmente teria de declarar imposto de renda, sem dúvida um avanço diante da perspectiva incerta na qual sempre se encontrou. Por via das dúvidas, não custava nada ir ao encontro do produtor e ouvir o que ele tinha a dizer, convenceu-me Clara, sempre com um sorriso. Além do mais, dificilmente conseguiria piorar algo que qualquer jovem escritor brasileiro houvesse feito.

Com as luzes apagadas, deitamos no colchão sem lençóis posicionado ao lado da minha cama e fizemos amor, da forma mais discreta possível. Não que fosse necessário, o som do aparelho de tevê ecoava por toda a casa. Os suaves gemidos dela no meu ouvido, mixados à voz e gemidos semelhantes da atriz do filme que cruzavam a sala e invadiam o quarto, quase me fizeram perder a libido. Imaginei alguma cena de sexo parecida entre o herói (assassino?) e a mocinha dublada. Em um dos muitos cursos que fiz sobre roteiro de cinema, aprendi que, nos filmes, uma transa de alguns segundos precisa deixar uma impressão de intensidade e paixão arrebatadoras no espectador. Nessas horas, a entrega dos atores aos personagens e a si próprios vale muito mais que o texto ou o ritmo sugerido pelo diretor. Não tenho ideia de como se saiu a atriz, mas, pelo desempenho da dubladora no meu quarto, presumi que a plateia deve ter se extasiado.

De sonhos intranquilos, despertei metamorforseado em um microscópico inseto em frente à entrada do prédio comercial de vidros espelhados, no meio de uma grande avenida. Depois de me levar até lá, Clara partiu cantando os pneus do carro.

— Eu iria com você, mas tenho problemas muito importantes para resolver.

— Pelo visto, você acabou de se livrar de um deles.

— Encare o meu abandono como um voto de confiança, querido. Agora preciso correr, tenho hora marcada. E você também.

Não tive tempo de perguntar de que se tratava o compromisso. Pelo ar solene, talvez fosse acertar as contas com um ex-namorado. Poria fim ao frio relacionamento com o cretino e se gabaria de que não precisava mais dele, estava apaixonada por Alberto Franco, roteirista de cinema e voz influente da grande imprensa.

A imagem do idiota rastejando pelo amor de Clara me distraiu e tomou contornos de um pequeno roteiro dramático durante a espera na salinha onde funcionava a produtora. A secretária, que também se dizia atriz, recebeu-me exibindo uma ampla e saudável dentição e me fez sentar em uma desconfortável poltrona cor-de-rosa, cujo formato se adaptava ao corpo do ocupante. Só consegui sair dali com o auxílio do produtor, que me puxou com força quando se aproximou para o aperto de mãos protocolar.

Dirigimo-nos, então, à sala dele, também pequena e repleta de móveis coloridos — agora eu entendia o significado do nome Colorama Produções. Em vez de nos sentarmos um de frente para o outro em cada um dos lados à mesa com tampo de vidro, indicou-me uma poltrona verde no canto da sala, enquanto chamava a secretária, que me trouxe mais um café e gentilezas.

— Você sabe que devia estar nesse projeto com a gente desde o começo, não? — perguntou-me. — O grande problema do cinema, e você sabe disso melhor que ninguém, é a falta de bons roteiros. Veja, hoje nós temos dinheiro, o mais importante, e milhares de boas ideias circulando, mas precisamos de histórias *reais*, calcadas em personagens *reais*, e vidas *reais*.

Chamava-se Doni Calçada, o produtor. Devia pensar que todos o conheciam, pois não se deu ao trabalho de se apresentar nem de me oferecer um dos cartões de visita que formavam uma grande pilha na mesa. Tinha a aparência jovem, mais ou menos da minha idade, embora minha aparência não fosse tão jovem. Em uma das várias fotos expostas na sala aparecia sem camisa e com o corpo alvo pintado, de mãos-dadas e formando um círculo com vários índios, no que parecia um típico programa de férias de um capitalista alternativo. Na maior parte do ano, na cidade, não devia pôr os pés para fora de casa sem estar dentro de um carro. Estranho alguém assim dar tanta ênfase ao mundo real.

— E onde eu entro nessa história? — eu disse, encabulado, voltando meus olhos para o café.

— Clara Bernardes me contou que você é jornalista. Um dos nossos roteiristas também é jornalista — comentou, para descontrair.

— A diferença é que eu sou só jornalista.

— Não seja modesto. Eu assisti ao seu curta. É daquele tipo de realidade de que precisamos.

— Tem certeza? Nunca achei aquela girafa peluda muito convincente no papel de Judas...

— Sabe, Franco — ele disse tentando mostrar calma. — Acordei cedo para encontrá-lo aqui, centenas de pseudoescritores batem à porta todos os dias implorando para ter cinco minutos comigo. Enquanto isso, você...

Doni parou de falar ao me ver levantar da poltrona e seguir, mudo, em direção à porta. Antes que eu pudesse alcançar a maçaneta, bloqueou a saída.

— Admiro você, Franco. Você sabe como se impor — ele disse, levando-me de volta ao lugar onde estava e dirigindo-se depois a uma prateleira detrás da mesa de vidro. — É justamente por isso que quero você no filme, precisamos do seu talento e da sua alma.

— Doni, gostaria de agradecer a oportunidade, de coração — eu disse, colocando as duas mãos sobre o peito esquerdo. — Mas não acho que sou capaz de escrever um roteiro, qualquer roteiro — confessei.

Ele me olhou de lado, deu um longo suspiro e... começou a rir.

— Ora, Franco! — bradou, vindo mais uma vez ao meu encontro. — Você não vai precisar escrever nem uma linha, se não quiser. O que eu quero de você está aqui — falou, passando às minhas mãos o exemplar do livro que teria de adaptar para o cinema. — Seu tempo é precioso e o meu também — prosseguiu. — Tenho certeza de que ninguém além de você pode extrair o que eu acho que pode se conseguir desta história. Não quero saber de fidelidade à obra ou de uma inovação de formato. Preciso de personagens, lugares, sensações...

— Realidade — completei.

— Você entendeu. Leia o livro e depois faça o que bem entender. Apresente-me alguma coisa e acerte a conta com a Sônia aí ao lado.

— Acho melhor acertar com a Sônia já — propus.

— Todos querem acertar com ela — ele riu em um tom forçado de masculinidade, como quem não parecia compartilhar do desejo pela secretária e atriz. — Diga que eu autorizei um adiantamento, pouca coisa, porque o lençol é curto.

— Quanto tempo eu tenho?

— O tempo está esgotado. Conto com você — falou com as mãos estendidas apontando a saída.

Entendi o recado e me dirigi à porta do escritório, onde nos cumprimentamos mais uma vez com a informalidade de velhos amigos.

4

Desde que começara a morar com Daniel e Nélio, e depois também com Renato, o primo de Nélio, vivendo em bando como meus ancestrais neandertais, sentia-me menos sujeito à volatilidade típica do sexo oposto. Desisti de companhias femininas, ou pelo menos de dividir o mesmo espaço com elas, depois de ser expulso por duas vezes de casa. Assumo parte da culpa com Júlia, apesar de ainda achar exagerada a reação dela à minha falta de aptidão para lavar pratos. No caso de Amanda, o fim da relação foi mais consensual, a partir do momento em que ela se mostrou mais interessada em cuidar do nosso peixinho dourado do que em fazer sexo comigo.

"Fiquei sabendo que você vai sair de casa, por que não vem morar com a gente?", abordou-me certa vez Daniel, um amigo de uma amiga de Amanda e conhecido do circuito cultural. Meu plano original era me mudar para o apartamento da amiga de Amanda, até perceber que a intenção não era recíproca quando soube que foi ela quem me recomendou a Daniel.

A adaptação ao estilo de vida típico masculino levou pouco tempo. A bagunça era a melhor parte. Quem diria, eu podia deixar um copo sujo sobre a pia por mais de cinco minutos sem sofrer nenhum tipo de retaliação! Havia ainda a faxineira, contratada para desfazer o caos duas vezes por semana. Não era um estilo de vida barato, e precisava de cada centavo conquistado para mantê-lo, embora nem sempre fosse o suficiente.

Eu não era o único com problemas financeiros na época em que me mudei. Por tudo isso, o *Jornal* de domingo era aguardado com ansiedade. Daniel o recebia em casa e ia direto ao caderno de cultura, onde quase sempre havia uma reportagem ou crítica estúpida escrita por ele. A disputa pelos classificados ficava entre Renato e eu, além de alguns amigos deles também desempregados que nos visitavam naquele horário com o intuito premeditado de consultar o *Jornal*. Os outros costumavam levar a melhor. Como dormia na sala, Renato ouvia o momento em que o zelador do prédio colocava o jornal em frente à porta, e só perdia a preferência na leitura quando um dos amigos se antecipava e recolhia o jornal na portaria, antes da entrega nos apartamentos. Eu não via problema em compartilhar os anúncios, não fosse a mania de Renato recortar as oportunidades que mais lhe agradavam. Raramente competíamos pela mesma vaga, mas imaginava que as páginas retalhadas por ele poderiam esconder alguma chance imperdível no verso. Renato se interessava somente por cargos de gerência, apesar de não ter experiência alguma além do breve período em que ajudara o pai no escritório.

— Franco, você é meu amigo. Não posso disputar uma vaga com você. Seria muito mesquinho — ele dizia. Renato terminava quase todas as sentenças com a palavra "mesquinho", como um personagem saído de desenho pré-escolar.

— E devo lhe agradecer por isso?

— Não, EU é que agradeço — respondia sem entender minha ironia e pensando que eu não entendia a dele.

Renato compensava a falta de aptidão para o trabalho com um grande caráter. Quando não estava à procura de trabalho ou me matando em um subemprego qualquer, frequentávamos juntos o circuito cultural gratuito da cidade: peças, filmes, exposições e lançamentos de livros ignorados por tipos esnobes como Daniel. Saímos bêbados de muitas *vernissages* e noites de autógrafos e desenvolvemos essa amizade calcada um pouco nas semelhanças dos nossos estilos de vida. Vez ou outra eu encontrava nesses eventos algum diretor ou artista mais descolado. Uma das nossas diversões era observar os vários aspirantes a cineastas lhes entregarem calhamaços de papel, onde estariam redigidos alguns dos roteiros mais brilhantes já escritos, mas que jamais chegariam às telas porque antes tiveram a infelicidade de conhecer a lata de lixo. Eu não os culpo. Tivesse algum projeto de roteiro em mãos, ou mesmo em mente, não me furtaria a me humilhar também.

Assim como eu, Renato não tinha ideia sequer de um roteiro de vida. Deixava os dias passarem sem a menor preocupação com o destino do personagem principal, na certeza de que as coisas se acertariam. Se estivesse no lugar dele, também aguardaria o tempo necessário até encontrar o emprego ideal. Tinha certeza de que se lhe dessem uma oportunidade e nada para fazer além de supervisionar o trabalho dos outros, seria o melhor gerente que uma empresa poderia ter. Pensando melhor, talvez fosse o bom caráter que o impedisse de arrumar um trabalho. Enquanto isso, o primo pagava todas as despesas dele, e quando teve de arcar também com as minhas, a título de crédito pré-aprovado, recebeu uma ajuda do tio, que quitou parte dos débitos do filho. A última planilha de gastos, estampada no mural que ficava no corredor de casa, funcionava como uma espécie de placar com o saldo de cada um dos moradores. Meu nome já despontava na última colocação, com um débito equivalente a quase três meses de despesas.

Nélio jamais me cobrou um tostão, apenas batia na porta do meu quarto e dizia: “acabei de atualizar o saldo”, uma vez por semana. Ele quase nunca saía de casa, e quando o fazia passava semanas longe, sem dar sinal de vida, isolado em uma velha "choupana" (palavra dele) na praia, sempre acompanhado de um computador portátil e um suprimento de biscoitos de maisena suficiente para alimentar toda a população caiçara por pelo menos um mês. Nélio fazia do próprio quarto — o maior da casa — o local de trabalho. Dividindo espaço com a cama e um pequeno guarda-roupa, um sem-número de computadores e peças espalhadas por todos os lados. Ninguém entrava no ambiente sem autorização; até microcâmeras foram instaladas por ele para garantir a segurança do local. Os clientes iam e vinham com dinheiro e equipamentos, e os fornecedores com peças, o que fazia da república um ambiente povoado o tempo todo por estranhos. Ele resolvia quase todas as questões financeiras com um dos vários cartões de crédito e contas bancárias, e, desta forma, abastecia-se de toda sorte de produtos possíveis de se comprar pela internet, inclusive mulheres. Quero dizer, ele não pagava pelos serviços das moças, ao que consta, apenas as conhecia e marcava um encontro pela rede, sempre em casa. Elas não voltavam mais que duas vezes; Nélio sempre dava um jeito de se livrar do compromisso. Pelo menos uma vez por mês uma nova garota aparecia ao lado dele.

Daniel, ao contrário, mal ficava em casa, quase sempre em alguma festa, encontro de jornalistas ou evento cultural do tipo inacessível para mim e Renato, muitas vezes os três ao mesmo tempo. Ele me convidou a acompanhá-lo uma ou duas vezes. Por onde passava, era reconhecido por algum ator ou produtor teatral ou de cinema, que o ia cumprimentar (raramente) ou cobrar (quase sempre) por algum texto publicado no *Jornal*. Todos o odiavam, e ele sabia disso. Daniel tinha uma marca registrada nas matérias e críticas que escrevia: o sarcasmo. Até os elogios traziam ressalvas e predicados desagradáveis.

Pobre Daniel! Ele era somente um garoto de pouco mais de vinte anos, desesperado em busca de uma identidade. Ninguém o conhecia tanto quanto eu, que tinha acesso à intimidade de sua vida e obra. Sim, Daniel tinha uma obra. Quando batia à minha porta, mostrava-me algum rascunho de um novo romance que começara a escrever, à espera de uma opinião. Ele se apresentava como "jornalista e escritor", gostava de contar detalhes sobre uma história genial que lhe ocorrera havia pouco e que sem dúvida se tornaria, dentro de alguns meses, um novo clássico da literatura. No papel, as passagens pareciam mais um registro de situações vividas por ele ou por conhecidos, em uma linguagem pobre e cheia de chavões. O último começo de romance que me mostrou, por exemplo, tratava de um azarado vendedor de apólices de seguro de nome "Alfredo".

No meu quarto, o menor do apartamento, mal havia espaço para posicionar o colchão ao lado da cama de solteiro. Nos primeiros dias, permaneci a noite toda ao lado de Clara, mas tudo que consegui foi uma dor no braço e a comprovação da regra básica da física sobre a quantidade de corpos que podem ocupar um único lugar no espaço. Ela logo se acostumou ao território conquistado e tratava de me expulsar para baixo tão logo desse por concluída minha participação na cama.

Todos ainda dormiam quando eu saía para trabalhar, e todos já estavam de pijama — ou talvez nem o houvessem tirado — quando regressava. Enquanto a maior parte da redação trabalhava em um regime de semiescravidão, meu colega de trabalho e república fazia parte do seleto grupo que dispunha de certas regalias. Não trabalhava nos finais de semana e passava a maior parte do tempo em viagens ou compromissos profissionais — entrevistas com artistas e encontros com produtores. Ele orientou a mim e a Clara a cair fora de qualquer projeto no qual Doni Calçada estivesse envolvido, o que só serviu para aumentar nossa convicção sobre o sucesso do filme, isso se eu arrumasse algum tempo para adaptar o roteiro.

No fim de semana, havia esquemas específicos para o plantão jornalístico. Eu fazia o trabalho de checar as condições das estradas e a ronda com a polícia e os bombeiros em busca de um pouco de emoção para os nossos leitores — ex-pobres que emergiram para a classe C e pela primeira vez tinham dinheiro para comprar um computador e acessar a internet, segundo me disseram. Quando não havia novidade, a página era atualizada com notícias roubadas, ou melhor, adaptadas de outras fontes.

Naquele domingo, cheguei à redação com um aspecto deplorável e duas grandes manchas de suor debaixo de cada braço, reflexo do sol quase a pino que tomei durante o trajeto. Fui recebido pelo chefe do plantão, que se colocou em meu caminho antes que eu chegasse ao local de trabalho.

— Mudança de planos, Franco. Preciso que você vá ao estádio ajudar a equipe que vai cobrir a final do campeonato.

Com as gotas de suor se multiplicando sobre minha face, as palavras me soaram estranhas. Eu nunca me envolvia com o time de esportes. Eles eram os únicos a ter autonomia para enviar as matérias sem a intervenção de redatores.

— E quem vai escrever sobre as condições das estradas?

— Franco, os acidentes continuarão lá depois do jogo. Mas uma partida como essa só acontece uma vez.

— Não houve uma idêntica na semana passada?

— Tudo bem, espertinho, não me crie mais problemas. O repórter que ia para o jogo foi para o hospital há cinco minutos.

— Ele está bem?

— Esses moleques de hoje não aguentam tomar nem um pouco de sol na cabeça. Imagine que ele desmaiou na porta do estádio? — ele riu. — Parece que foi uma desidratação, mas se ele sair da UTI até hoje à noite ainda cobre a festa da vitória.

— Menos mal — comentei.

— Encare isso como uma grande oportunidade para você, talvez a única! Precisamos de alguém que tenha bom texto e seja rápido. Você não escreve bem?

— Sim, eu escrevo bem! — respondi, animado com o reconhecimento.

O editor me passou em seguida um computador portátil, de onde eu enviaria a reportagem que seria publicada diretamente na internet, com os mesmos privilégios dos experientes jornalistas esportivos. A recomendação era deixar o texto pronto e enviá-lo tão logo terminasse o jogo, por meio de uma conexão sem fio, a mais alta tecnologia — ou pelo menos era naquele tempo, você sabe como isso evolui rápido. Todas as outras reportagens sobre os bastidores da partida, entrevistas com jogadores e técnicos, e análises de comentaristas seriam enviadas por um batalhão composto por outros dois profissionais.

Não culpo o chefe. Ele não tinha como saber que Alberto Franco era a pessoa menos recomendada para a missão. Nunca gostei de futebol, e sentia certa aflição de pensar em chegar perto de um estádio. Alcançar a entrada do monstro de concreto naquela tarde parecia a realização de um pesadelo. O sol forte, a multidão que me cercava e gritava palavras ameaçadoras à polícia e aos adversários, até o vendedor de pipoca me assustava.

Do lado de dentro, encontrei jornalistas não menos enlouquecidos. De modo discreto, acompanhei a transmissão de uma rádio a fim de me inteirar dos acontecimentos, que o editor pressupôs que eu soubesse. As regras da competição eram esquizofrênicas. A equipe "A" jogaria contra a equipe "B" e precisaria vencer por uma diferença de dois gols para ficar com o título, já que na primeira partida a equipe "B" triunfara. Uma vitória por um gol de vantagem levaria a decisão do finalista para uma disputa de pênaltis, caso ninguém marcasse também durante a prorrogação de trinta minutos, com dois tempos de quinze; mas se a equipe "B" fizesse pelo menos um gol, essa possibilidade não existiria mais, pois um gol marcado no estádio do adversário era usado como critério de desempate. Não havia tempo para uma análise aprofundada, pois cada vez era maior o tumulto na tribuna de imprensa e também no estádio, que começava a encher. Pensei em pedir uma breve explicação sobre essa confusão matemática a algum colega, mas nenhum deles me pareceu solícito e tive medo de sofrer algum tipo de humilhação diante dos demais. Ali não era o meu lugar, eu não poderia escrever nada sobre futebol, nem em um roteiro cinematográfico.

Antes de a partida começar, posicionei o computador em um pequeno espaço de onde via parte do campo e da torcida, a entoar cânticos que, não fossem os palavrões, soariam sagrados. Os jogadores formavam um estranho desenho de cores, como uma reprodução em menor número das arquibancadas, um time de cada lado, alguns quase se misturando no meio, dois debaixo das traves, todos pequenos na imensidão verde que precisariam ocupar. Pouco depois, o juiz ao centro conferiu o relógio de pulso, olhou para o alto, e após uma breve pausa, levou o apito à boca e soprou com força.

Todos esses detalhes me diziam muito mais que o resultado do jogo ou a diferença de gols entre as duas equipes. O balé de força física e criatividade, produzido pelos jogadores, soava monótono, um toque para o lado, um para trás, outro na extremidade direita até uma jogada solitária, interrompida pelo adversário com uma obstrução mais acintosa. Então, o juiz voltava a apitar num som certamente baixo diante das vaias de uma parte da torcida e vibração oposta da outra.

E nessa contradição de sons, chutes, violência, barulho mudo e algumas explosões de exaltação a cada tentativa desperdiçada, inclusive um pênalti, escrevi um longo texto sobre o jogo, cujo resultado sem gols — pontuei — sacramentou a vitória da equipe “B”. Como precisava enviar o texto imediatamente para a internet, deixei de fora as lágrimas dos derrotados, o cerco ao juiz que teria deixado de marcar uma infração qualquer e a comemoração efusiva dos campeões, que atiravam as camisas ao público emocionado e falavam com repórteres tentando recuperar parte do fôlego deixado dentro de campo.

O título: “Sangue e delírio sôfrego na final do campeonato”, por Alberto Franco.

O computador se encarregou de codificar minhas palavras nos *bites* e *bytes* necessários para que a mensagem fosse compreendida pelo sistema do *Jornal* como um texto enviado por um repórter e o colocasse imediatamente na página principal na internet. Ainda li por várias vezes o texto publicado, conferindo uma a uma as linhas de um árduo, porém gratificante trabalho realizado, um tanto fascinado com as maravilhas de um mundo que tanto me afligia noventa minutos atrás e do qual agora me orgulhava de fazer parte.

Não tardou até certo burburinho se instalar entre os demais jornalistas, seguido por uma sequência de telefones tocando, o meu celular primeiro, e de uma multidão de pessoas a me cercar por todos os lados, algumas delas rindo.

“MAS QUE PORRA DE TEXTO É ESSE?”, gritaram em uníssono o chefe do plantão, ao telefone, e os repórteres, à minha frente. Com escárnio, eles me encaravam como quem saliva por um leitão em uma bandeja de prata, de preferência com uma enorme maçã na boca.

No auge da comoção e da extensa coleção de palavrões desferidos pelo editor contra mim, ninguém me revelou o que havia de tão terrível com o artigo. Primeiro, imaginei que o título não estivesse tão informativo quanto deveria. Achei melhor, porém, que "Crônica de um desespero anunciado", minha primeira ideia. Tornei a revisar com cuidado todas as linhas em busca de algum equívoco gramatical. Havia, de fato, um erro de digitação na 57.ª linha — nada gritante, pensei.

Na verdade, o problema estava nas duas últimas sentenças. Quem me contou foi o próprio Tora, sempre aos gritos. Ele fez questão de me recepcionar na volta à redação, depois que a reportagem foi removida da internet e substituída por outro texto escrito às pressas e de muito pior qualidade técnica.

— E qual o problema com as duas últimas frases? — perguntei relendo-as na mente inúmeras vezes em busca de algum significado oculto, com o coração saltado na garganta.

— Nenhum, a não ser o fato de que elas deveriam ser as DUAS PRIMEIRAS do texto! — berrou, impaciente.

— O resultado do jogo? Desculpe, mas isso não é muito óbvio?

— Não, idiota. Essa é a informação! — ele disse batendo os dedos enodoados na tela do computador para enfatizar a resposta.

— Ninguém vai ler um texto que não traz nenhuma novidade. Que importância tem isso diante do espetáculo, do drama, das minúcias da partida? — improvisei, gaguejando.

— O cara que acessa nossa página não quer uma descrição detalhada das gotículas de suor na testa do goleiro na hora do pênalti; ele prefere ver o placar do jogo, quem se classificou, o melhor em campo...

— Melhor em campo? — interrompi. — Quem sou eu para dizer isso? O melhor para mim pode não ser para você...

— Para quem diz não entender porra nenhuma de futebol você até que fala bem. Podia ser comentarista de tevê — ironizou.

Antes que eu pudesse contra-argumentar, ele se virou de costas para mim; um recado claro para eu me mandar dali o quanto antes. Ele não disse as palavras, mas deixou claro que eu não precisava mais voltar. "*Ok*", respondi para o vazio, do jeito dele. As poucas pessoas presentes na redação não ousavam me dirigir a palavra enquanto eu recolhia minhas coisas, nem se despediram ao me ver cruzar a porta. Eles sabiam que não havia conforto que me fizesse sentir melhor. Eu havia perdido, mesmo sem ter sido derrotado, não muito diferente do que ocorrera com os jogadores da equipe "A" ao fim da partida.

5

O que você quer que eu diga do livro? Que não consegui desgrudar dele desde as primeiras linhas até o intrigante final? Que vislumbrei cada página como uma perfeita tomada, com todos os planos e diálogos delineados num roteiro genial? Ou que passei noites em claro refletindo sobre o destino e a presença de cada personagem da história? Desculpe, não foi o que aconteceu, não por minha culpa, ou do livro. Fora do escopo destas linhas que você lê nada se resolve em uma sequência com suposta lógica, real ou inventada.

Como se não tivesse problemas suficientes, tive ainda de encarar um furioso Nélio ao chegar em casa e se deparar com a presença da nova moradora. Ele tinha pavor de qualquer tipo de mudança na ordem estabelecida.

— Franco, você precisa se livrar dela — avisou.

— Ela me garantiu que não vai ficar por muito tempo — argumentei.

— Essa garota é muito estranha, você vai se foder.

— Eu estou bem, e ela não tinha para onde ir.

— Acorda, Franco! Ela tem carro e paga o estacionamento aqui ao lado. Você traz alguém para dentro de casa e não faz ideia de quem é?

Ele tinha razão, mas eu não podia dar o braço a torcer.

— Ela me arrumou um emprego... no cinema — gaguejei. — A ideia de ela aqui não foi minha. Não tive escolha...

— Não me venha com essa! Eu encontrei a garota fuçando nas minhas coisas, investigando. Preciso de privacidade, você sabe.

— Mulher é assim mesmo. E qual é o problema, afinal? Acha que ela vai estourar o limite de algum dos seus cartões de crédito?

A minha intenção era fazer uma piada, mas, ao que parece, Nélio não só não entendeu como se sentiu ofendido. Em um instante estávamos os dois rolando no chão da sala, como dois velhos rivais de escola. Atento à movimentação, Renato correu em nossa direção e tirou o primo de cima de mim no exato momento em que preparava um soco que me acertaria em cheio no nariz. Clara irrompeu pela porta da frente logo depois e me viu ainda caído sobre o tapete.

— Tudo bem por aqui, meninos? — perguntou, surpresa e irônica.

— Aliás, Franco — desconversou Nélio em voz alta e sem dar atenção ao comentário dela —, aquele seu texto sobre futebol estava muito engraçado, não conhecia esse seu senso de humor — falou dando as costas para nós antes de voltar ao quarto.

O comentário não era um deboche. Minha reportagem, de alguma forma, acabou se espalhando na internet, em redes sociais, *sites* de compras coletivas, listas de piadas, fóruns de discussão sobre jornalismo, literatura e até filosofia. Algumas pessoas me procuraram para caçoar, cumprimentar ou dizer que minhas palavras mudaram a vida delas.

Não demorou muito até receber convites para voltar ao *Jornal*. Com um bom prato frio de vingança pronto para o consumo, recusei as propostas sem dar muita margem para argumentação. Agora, quem dava as cartas era eu, não precisava mais de um mal pago emprego de jornalista com as portas do cinema enfim abertas para o meu talento. Melhor deixar o trabalho na imprensa para espertinhos metidos a intelectuais como Daniel Provença.

A adaptação do livro, portanto, veio a mim durante esse turbilhão de acontecimentos que costuma marcar o cotidiano de qualquer um. Se não me entusiasmei de cara nem me debrucei no trabalho, a culpa não era nem dele nem minha. A princípio, tratava-se de algo fácil de sair do papel para a tela, o tom era de comédia. A maior preocupação era manter a graça das falas e da narração; a história tinha boas passagens, todas concentradas no protagonista, um tipo meio peculiar, talvez um tanto simplório demais para um personagem literário. Para dar conta do trabalho, tratei de esquecer o livro e formatei o que seria uma completa história de cinema dentro da mente. De posse de uma velha máquina de escrever Lettera 82, martelei as primeiras cinco páginas num único fôlego, até ser interrompido por Nélio, que invadiu o quarto, furioso por conta do barulho.

— Tome, use isto aqui! — ordenou passando às minhas mãos o *laptop* que trazia debaixo do braço.

Clara também parecia incomodada ou fascinada, não sei, com meu ritmo de trabalho. A facilidade para escrever era tanta, que a história original parecia ter sido escrita por mim. Deitada na cama enquanto fingia estudar um texto qualquer, ela me olhava curiosa para decifrar trechos dos escritos. Eu não perdia a oportunidade de vigiá-la pelo reflexo da tela. A sensação de ser observado e de poder observar me dava uma motivação extra para permanecer em frente ao pequeno computador, um pouco para esconder parte do tesouro diante de mim, na ambição de aguçar ainda mais o interesse dela. Tanto o uso do equipamento como o da impressora, mais tarde, foram cobrados por Nélio, que creditou os valores ao meu saldo, agora quase zerado depois do acerto que fizemos com o dinheiro recebido pelo adiantamento do roteiro e da malograda temporada no *Jornal*.

O ritmo intenso não parou, e ao final de duas semanas eu mal conseguia distinguir os móveis do quarto, mergulhados em um mar de papéis espalhados por todos os lugares, alguns rabiscados por obsessivas anotações de revisão, outros amarrotados, picotados. No meio deles, ficava difícil reconhecer a fronteira entre o corpo de Clara e o meu, imersos numa perversão que somente alimentava a inspiração necessária para dar sequência ao duro trabalho a ser concluído, no roteiro e na cama.

Ao lado do micro, na pequena mesa que usava como escrivaninha, outro monte de papéis, intacto, trazia o resultado da incursão. Clara foi a primeira a lê-los, até antes de mim. Dizia suas falas em voz alta; eram poucas, sua atuação era mais concentrada em olhares e intenções, uma característica da personagem do romance que fiz questão de preservar.

Esgotado, afundei-me na pilha de papéis velhos sobre o colchão e adormeci. No delírio das horas que não passavam testemunhei pessoas entrarem e saírem do quarto e presenciei, sem ação, a lenta ordenação do caos promovida pela faxineira, com o cheiro de ressaca e tinta de impressora substituído pelo de um produto de limpeza qualquer. A todo momento o cessar-fogo do sono era violado por algum barulho alheio: aspirador, carros, televisão, gargalhadas, copos quebrados, a voz de Clara dublada em algum filme de terror do qual eu também participava e morria esfaqueado pelo assassino sem rosto. Trechos do roteiro ganhavam vida própria e pululavam ao meu redor. Algumas frases que se aproximavam demais acabavam apagadas pelas gotas de suor que escapavam da minha pele. A trilha de tinta esmaecida ampliava ao infinito as possibilidades de interpretação da história.

Despertei do coma voluntário com uma estranha sensação de que chegara atrasado ao juízo final. A perfeita ordem que parecia reinar na república na minha ausência só era quebrada pelo leve ruído de pessoas conversando na sala. No espelho, minha aparência era semelhante à de um sobrevivente de uma hecatombe. Isso talvez justificasse a cara de espanto e afobação de Nélio e seus amigos ao me verem passar em direção à cozinha. Ele não gostava que atrapalhassem suas conversas, mas meu corpo não podia ficar mais cinco minutos sem água. Mesmo com a audição prejudicada pelo pouco tempo acordado, pude notar que eles tratavam de grandes somas de dinheiro. Nélio, sem dúvida, sabe fazer negócios, pensei.

A sequência lógica do processo era me dirigir ao chuveiro, onde um banho de proporções épicas me aguardava. Podia ficar páginas inteiras descrevendo o júbilo provocado pelo contato das primeiras gotas com minha ressecada, desidratada e mal-cheirosa pele. Prefiro, porém, atentar ao desaparecimento do xampu, um caro e especial produto desenvolvido especialmente para o meu tipo de cabelo. Para o meu e para o de Renato, um contumaz usuário dos produtos de higiene alheios. Não me restou outra saída a não ser roubar uma pequena amostra do anticaspa de Daniel, o mínimo possível para que ele não se desse conta — tarefa difícil, pois meu amigo tinha o hábito de demarcar com uma caneta vermelha o nível de líquido dentro do recipiente. Já o sábio Nélio não deixava sequer a escova de dentes no armário do banheiro, com a justificativa de que a umidade poderia prejudicar a composição dos produtos.

Demorei um pouco mais até perceber que a pilha de papéis do roteiro adaptado não estava mais na escrivaninha. O pequeno computador também sumira. Ainda enrolado na toalha, cabelos molhados, dirigi-me à sala, onde Nélio, agora sozinho, assistia a mais um filme adolescente dublado por Clara.

— Cadê ela? — perguntei, apontando a tevê.

— Saiu há uns dois dias, levando seus papéis.

— Eu dormi tanto tempo assim?

— Bastante. Perdi as contas lá pelo quarto dia.

Não tive tempo de me preocupar com um possível furto do trabalho. Nossa conversa foi interrompida por uma ruidosa comitiva que explodiu ao sair ao mesmo tempo dos dois elevadores, e sem anúncio prévio, cruzou a porta da frente de casa. A primeira a surgir foi a própria Clara, com minha chave nas mãos, seguida por quase uma dúzia de cabeças, uma delas a de Doni Calçada, o produtor. No meio do tumulto e da mente ainda entorpecida pelo período de hibernação, tive trabalho para reconhecer alguns rostos, como o da atriz e secretária Sônia. Outros me eram totalmente desconhecidos. Com uma cópia encadernada do que parecia ser o roteiro, vieram todos ao meu encontro. Na confusão, minha toalha caiu e acabou pisoteada, mas nem a nudez revelada chocou ou mudou a disposição para a comemoração dos presentes, exceto por Nélio, que decidiu voltar ao quarto ao me ver sendo abraçado e beijado por homens e mulheres quase como um Messias, não sem antes recolher a toalha molhada e estendê-la no banheiro.

6

Eu era então um homem de cinema, o que quer que isso significasse. O contrato com a produtora e a adaptação do livro seriam apenas os primeiros passos de uma carreira gloriosa, eu tinha certeza. De repente, toda a sorte de sonhos represados durante anos parecia se materializar. Até podia ver a manchete dos jornais:

ALBERTO FRANCO ESNOBA OSCAR

"Tenho mais o que fazer", alega roteirista, questionado por que não compareceu para buscar a estatueta

É claro que minha incursão inicial não poderia acontecer em uma superprodução. Quando fui convidado para escrever a adaptação, avisaram-me de que se tratava de um filme de baixo orçamento. Alegando problemas de caixa, Doni só me pagou uma parte do combinado pelo trabalho — incluindo o acerto com Sônia, a secretária —, com a promessa de complemento após as filmagens ou assim que conseguisse captar mais verba. Não ousei reclamar, até porque o dinheiro recebido movimentou minha conta a ponto de chamar a atenção do gerente do banco, que me abordou sob a desculpa de oferecer sugestões de investimento. Desconfiado no início, cedi à sedutora promessa de lucro fácil e apliquei a maior parte do roteiro em um CDB. Pareceu-me sofisticado repetir, mais tarde, as vantagens alardeadas de solidez e segurança combinadas com um pouco de agressividade da minha opção de investimento.

Não conseguia esconder a ansiedade com o início das filmagens. Seria interessante conferir como ficariam as passagens descritas no texto e os diálogos dos personagens tão bem cifrados por mim. A produção andava no ritmo moroso das finanças de Doni Calçada. Ele não devia ter um gerente de banco tão esperto quanto o meu. Enquanto isso, aproveitava para ficar mais tempo perto de Clara. Em um lance pouco refletido, admito, imaginei que o próximo passo da nossa relação seria morarmos juntos, sozinhos. A recusa dela ao meu convite me pegou de surpresa.

— Pelo visto, você é apressadinho em tudo...

— Minha média não é tão ruim assim. Descontando a noite passada, claro. Além do mais, quem se apressou para morar comigo foi você.

— É diferente, Fran. — Nesse tempo, ela começou a me chamar só pela primeira sílaba, um doce. — Nós moramos em uma república, com outras pessoas. Você nem sequer me conhece.

— Eu sei o suficiente.

— Está enganado, você não sabe como sou de verdade.

— E como você é de verdade? — perguntei.

— Eu vou lá saber? — falou balançando os ombros e rindo em seguida. — É isso que quero dizer: você não vai querer morar com alguém que não conhece nem a si mesmo.

Seria inútil discordar, nenhum argumento a faria mudar de ideia. Eu precisava de tempo para convencê-la. Melhorar a minha média e reverter a fama de apressadinho seria um bom começo. Para Clara, parecia não só conveniente como divertido dormir comigo e conviver com outros três homens e suas manias.

Por mais que se esforçasse em compromissos e seriedade profissional, não passava de uma criança crescida. Nesse clima quase infantil, passávamos o tempo fumando maconha e transando no quarto. No começo, me preocupei com a reação de Nélio, que abominava cigarro e qualquer tipo de droga.

— Deixe o Nélio comigo — ela falou sem se abalar.

E, de fato, não fomos importunados em nenhum instante. Por sinal, as reclamações sobre a presença de Clara em casa cessaram por completo, apesar das maneiras nem um pouco amistosas dela.

Eu continuava a trabalhar com afinco em versões atualizadas do roteiro, com mudanças feitas a pedido do diretor, dos produtores e patrocinadores. Doni insistia em inserir a figura de um narrador onisciente, que contaria a história em *flashback*, na melhor tradição do cinema nacional caça-níqueis. Passava noites inteiras enfurnado na produtora em busca do formato ideal para um diálogo ou cena de sexo. Em algum lugar próximo dali, Clara e os outros atores repetiam como se fossem deles as falas que apropriei do livro como se fossem minhas.

Eu não largava o romance um instante sequer. Além de fonte de consulta, usava-o como uma espécie de amuleto. Ficava distraído entre as páginas, admirando os contornos, a gramatura do papel, o espaçamento entre as linhas, o número de páginas, sem me fixar no texto. No dia em que escrevesse minha própria história, gostaria de vê-la publicada da mesma forma.

Naquele começo de mais uma manhã ainda não dormida, imaginei por um instante que a visão de Clara na recepção do prédio da Colorama, com um ar impaciente, fosse uma miragem provocada por um sonho mais apressado.

— Estamos atrasados — ela disse.

— Que horas são?

— Hora da nossa terapia de regressão. Estou falando disso há semanas, você não presta atenção em nada do que eu digo?

— Você não costuma escolher as melhores horas para contar as coisas. Agora, por exemplo, eu deveria ir para a cama.

— Nunca quis saber sobre suas vidas passadas?

— Os filmes de Hollywood me fizeram perder toda a curiosidade sobre esse assunto.

— Você não perde a piada nunca, não é mesmo? Carmem vai gostar de você — falou enquanto me puxava pelo braço na direção do carro.

— E quem é Carmem? — perguntei.

— Ainda não a conhece, mas foi você quem me falou dela pela primeira vez.

— Em nossa vida passada?

— Puxa, você pega rápido, hein?

Para alguém tão esperto, pegava mal dizer que não havia entendido nada, nem mesmo a ironia. Sabia apenas que não tinha escolha além de segui-la. Enquanto Clara dirigia, cortando o trânsito com a desenvoltura de um motorista de ambulância, tentava me lembrar de todas as Carmens que conhecia, entre uma prece e outra. Chegamos ao lugar próximo ao bairro japonês, no meio de uma série de casas térreas e pequenos sobrados, espécies em extinção na selva de pedra. Entramos em um prédio de apartamentos com aspecto de abandono no qual o da tal Carmem se diferenciava pelo aviso na porta:

AMARRAÇÃO PARA O AMOR.
PAGAMENTO DEPOIS DO RESULTADO.

Foi a própria quem nos atendeu, com um grande avental preso à cintura e bobes no cabelo, mais parecida com uma dona de casa vinda de um passado remoto do que com uma vidente.

Entramos na pequena sala de estar, onde duas crianças assistiam à tevê. Juntei-me a elas enquanto Carmem puxava Clara pelo braço em direção aos fundos do lugar. As crianças brincavam de entortar colheres e levitar os móveis da sala, só para me impressionar.

— Deixem eu ver o desenho animado! — reclamei.

Com o susto, elas deixaram os objetos despencar no chão.

Clara voltou pouco depois, um tanto incomodada, meio sonolenta; os cachos revoltos lhe davam o aspecto de um anjo caído. Olhou para mim como se fosse a primeira vez. As crianças foram ao encontro dela, meio chorosas depois da bronca do tio Franco. A vidente fez, então, um gesto com a cabeça em minha direção. Após passarmos por um longo corredor e uma área de serviço nos fundos, chegamos ao pequeno quarto de dormir, com uma cama de solteiro, uma poltrona e um computador, nada que lembrasse um lugar de ocultismo — não havia nem uma bola de cristal para disfarçar.

— Pode deitar na cama de costas. Tire os sapatos, se quiser — disse Carmem.

— O que você vai fazer?

— O que você quiser. Deixe-me ver — falou tomando minhas mãos e olhando-me nos olhos.

— Isso é loucura! Ninguém aqui sabe dar uma resposta objetiva?

— Na verdade, a resposta é você quem vai nos dar.

— Eu não acredito, e prefiro nem saber dessa história de vidas passadas.

— Não se preocupe, a terapia de regressão serve para encontrarmos os problemas que o afligem na vida atual.

— E por que não recorrer a vidas futuras?

— O futuro está escrito, Alberto.

— E o livre-arbítrio? — arrisquei.

— Você só pode estar brincando — ela riu. — Não há nenhum conflito entre o livre arbítrio e a inevitabilidade do destino. — Tudo está escrito... quando for escrito.

— Quanto a isso, eu concordo, mas por que não prevê o que vai acontecer comigo?

— Ler seu futuro seria como folhear as páginas de um livro, como aquele que você adaptou para o filme.

— E o passado? — prossegui sem coragem de questionar como ela sabia de tantos detalhes sobre mim.

— O passado são outras histórias, que trazem a chave para compreender o mistério que o trouxe aqui.

— Quanto a isso não há mistério algum. Quem me trouxe aqui foi Clara.

— Está vendo? As respostas começaram a surgir — sorriu mirando-me de frente com um suposto ar de sabedoria.

Sem uma réplica à altura, dei um longo suspiro e deitei-me na cama. Carmem colocou-se de lado e tocou-me na testa, depois no queixo e depois em cada um dos botões da camisa, até abri-la por completo. Em seguida, desafivelou a braguilha da minha calça, puxou-a para baixo e acabou de me despir.

Alheio ao que acontecia, mas certo de que aquela não era uma terapia convencional, não consegui reagir. Como por encanto, perdi o controle sobre meu corpo. Num instante, meu pênis recém-descoberto apontou um perfeito ângulo de 90 graus. Ela logo também estava sem roupa, exceto por um enorme colar cheio de pedras que contornava os grandes seios, e passou a resvalar no meu corpo a partir do momento em que se deitou sobre mim. Iniciamos, então, a sequência de um ritual esotérico de grande profundidade, que à primeira vista poderia ser confundido com pornográfico. Enquanto se mexia sobre mim, Carmem não tirava os grandes olhos verdes cercados de pequenos pontos escuros dos meus. Passeei por uma eternidade no fluxo da terapia: degolei cristãos na Roma antiga; lutei dos dois lados nas Cruzadas; arrendei meus domínios feudais para camponeses ignorantes; pintei afrescos nas catedrais renascentistas; fui escravo trazido de navio da África, acorrentado no porão de navios putrefatos; comandei expedições que dizimaram tribos indígenas; traí companheiros farroupilhos; tracei versos parnasianos fracassados; ergui paredes e asfaltei ruas da capital federal; peguei em armas contra a ditadura; nasci e morri Alberto Franco, infinitas vezes.

***

Clara e eu passamos a visitar a vidente com frequência. Enquanto minhas sessões eram sempre regadas a muito sexo e alucinações baratas, Clara não parecia se divertir muito, a julgar pela (falta de) expressão dela ao sairmos do consultório. Eu custava a me localizar no tempo e no espaço. Pelo que os ponteiros dos relógios nas ruas diziam, minha terapia de regressão não durava muito mais de cinco minutos. Será que até nas minhas vidas passadas eu era precoce?

— Preciso lhe contar o que acontece lá dentro — falei, enfim. Sentia-me envergonhado e arrependido por me deixar levar pela sedução da vidente trapaceira.

— A revelação é algo pessoal. Cada um vê o que precisa ser visto e sente o que precisa ser sentido, acredite. Mesmo que você me dissesse o que houve eu não seria capaz de entender.

— Isso é verdade — concluí, aliviado.

Clara sabia, certas coisas foram feitas para não ser compreendidas. Alberto Franco talvez seja uma delas. Até hoje, quando me pergunto o que houve entre Carmem e mim, não chego a conclusão alguma, nem consigo relacionar ao que me aconteceu depois — ou antes.

Não era preciso entender nada, Clara jamais questionava Carmem ou seus modos. A simples menção à vidente era o suficiente para que ela atendesse a todos os meus desejos. O truque não funcionou por muito tempo, pois Clara era dotada de um domínio muito mais amplo sobre mim, quem sabe uma amarração para o amor preparada por Carmem.

Fosse fruto de macumba, magia negra ou terapia de regressão, eu não tinha razões para reclamar. Clara e eu formávamos um casal perfeito, e me submeter aos caprichos dela me proporcionava um prazer adicional. Ela reservava uma surpresa a cada momento que passávamos juntos, fosse um presente ou uma nova posição sexual. Ao mesmo tempo, empenhava-se ao máximo em decorar as falas do roteiro e compor a personagem do filme, quando ficava incomunicável e só se dirigia a mim para reclamar de algo. As mudanças súbitas de humor e personalidade me deixavam um tanto aflito. Eu não estava acostumado a lidar com atrizes, ainda mais em processo de composição de uma personagem.

No mesmo espírito metamórfico ambulante, Clara decidiu interromper nossa terapia de regressão e me mandou arrumar as malas, sem dizer para onde íamos nem quanto tempo ficaríamos longe de casa. Só consegui distinguir quando vi as primeiras placas apontando a direção das cidades litorâneas. Não foi, no entanto, um gesto de todo impulsivo. Falávamos sobre essa viagem desde que nos conhecemos. Um tempo na praia proporcionaria a ela o descanso necessário antes do início das filmagens. Para mim, seria como uma lua de mel, se a noiva não insistisse em tratar seu recente consorte como um desconhecido. Enquanto dirigia, recitava os diálogos do filme no pequeno gravador que sempre carregava consigo.

— Você nunca teve vontade de aprender a dirigir? — perguntou enfim, em meio a uma passagem que, por um breve momento, imaginei constar no roteiro.

— Nunca tive grana para pensar nisso — eu disse.

— Não é uma questão de dinheiro — ela argumentou tirando os olhos da estrada e me encarando por uma fração de segundos.

— Acho que não tenho coordenação motora suficiente para mexer mãos e pernas desse jeito. Eu mal consigo subir escadas.

— Você mal consegue fazer outras coisas também...

— Lá vem você com essas comparações indesejadas. O que tem uma coisa com a outra? — falei, aborrecido.

— Em todos os carros são os homens que dirigem, não reparou? — ela disse apontando para alguns dos carros que nos ultrapassavam.

— Não é verdade — defendi-me mostrando uma mulher ao volante do lado direito da pista.

— O que quero dizer é que o lugar do homem não é no banco do passageiro. É uma metáfora da nossa relação, preciso ser mais clara?

— Eu não preciso saber dirigir para provar minha virilidade, preciso? — questionei.

Ela respondeu com um grande suspiro, como que frustrada. Tentei insistir no assunto, mas ela me ignorou retomando as falas da personagem, sem tirar os olhos da estrada. Passei o resto do tempo calado e emburrado. Estava disposto a mostrar que ela estava errada, mas o máximo que consegui fazer para demonstrar minha masculinidade foi bancar a gasolina e as diárias do luxuoso hotel em frente à praia onde nos hospedamos. Em vez de irmos direto para a cama, a fim de enterrar qualquer dúvida sobre quem estava na direção, metaforicamente falando, acabei concordando em aproveitarmos logo o dia de sol.

Sentir o aroma do mar e a textura da areia, macia e quente, não dissimulava meu incômodo. Com a pele branca exposta ao sol e aos olhares curiosos e famintos, Clara desfilava envolta da cintura para baixo em uma canga, que logo fez questão de tirar, como para aguçar o interesse alheio. Minha pele desbotada também chamava a atenção, mas como motivo de piada. Somente uma mulher como Clara podia ser bonita e ter a pele branca ao mesmo tempo.

Num instante, os risos imaginários se multiplicaram em minha mente, meu ciúme de Clara tornou o mar poluído e a areia estéril. Tudo me aborrecia, e o que devia ser um refúgio se transformou em um longo e ensolarado transtorno. Ela teimava em não colaborar, agindo a todo momento como a personagem do filme — fria e distante, com pouquíssimas palavras. O sexo acontecia sem emoção, como se fôssemos um casal feliz. Pela primeira vez senti um grande medo de perdê-la. Esperava a qualquer momento que arrumasse suas coisas e me deixasse sozinho no hotel.

— Você me acha parecida com ela? — puxou assunto, deitada na cama do grande quarto.

— Ela quem?

— A personagem.

— Você quer saber se eu acho que você se parece com ela ou se sua interpretação a faz parecida com ela?

— Nada disso. Quero dizer o tipo físico, psicológico...

— A personagem nem existe! Como vou saber?

— Por favor, Fran! E as descrições no livro? Foi por causa delas que fui escolhida para o papel?

— Por que você não pergunta isso ao seu amigo Doni Calçada ou ao diretor?

— Porque estou perguntando a você, droga! — irritou-se, enfim.

A dúvida dela não deixava de ser pertinente. Ao adaptar o livro, fui surpreendido em várias oportunidades com situações familiares. Eu tinha a impressão de conhecer até os detalhes que não foram escritos. Do processo de adaptação aos ensaios para o filme, estávamos envolvidos demais com a história. Quanto a

Clara, me fiz de desentendido de forma intencional. Também estava farto da indiferença e esperava a primeira oportunidade para provocá-la.

— Você acha que o autor pode ter se baseado em alguém real para escrever a personagem? — voltou ao assunto na manhã seguinte, de novo na praia.

Olhei bem fundo nos olhos dela em busca da minha própria íris no reflexo da lente espelhada dos óculos escuros que usava, antes de responder.

— Veja, Clara. Como roteirista, posso lhe dizer que o processo de criação, ou de adaptação, como queira, é cheio de relações não explícitas à primeira vista. Assim que comecei a escrever pensei em como você ficaria no lugar da...

— Não, você não! O autor do LIVRO! — interrompeu com um grito, chamando a atenção de um vendedor de raspadinha.

Depois de um longo silêncio entremeado por suspiros alternados e o som da vacilante quebra das ondas, ela prosseguiu:

— Desculpe, estou ficando louca. Às vezes acho que vou interpretar meu próprio papel no filme.

— Fique tranquila, a personagem não se parece nada com você.

— Eu não tenho que ficar tranquila. Quem é tranquila é essa personagem ridícula — gritou.

— Espere um pouco, não precisa ficar zangada. Eu posso mudar algumas falas, você também pode compor outro tipo, se quiser.

— Acho que vou enlouquecer — ela disse sem me dar atenção.

Deitado de costas para um sol a pino, quase sem roupas, o raciocínio de Clara me parecia impenetrável. Mesmo que a loucura tivesse um fundo de verdade, eu não via nenhum problema no fato de ela interpretar uma personagem inspirada nela própria, no roteiro ou no livro.

— Por que não tiramos uns dias de folga de verdade? Deixe para decorar as falas quando voltarmos para casa.

— Eu sou uma atriz, Fran. Esse é o meu papel, não posso simplesmente parar. Carmem me disse que...

— Nem me fale nessa vidente. Você devia parar de vez com essa terapia de regressão — aconselhei. — Não acredite nessa história de vidas passadas. Eu sei bem como é...

— Você não sabe, mas vai saber. Confie em mim, é uma longa história. Tão longa quanto a do livro que você adaptou — ela disse, desanimada e misteriosa.

— Por que não começa a me contar?

— Esse não é o meu papel, talvez tenha falado até demais. Eu mesma não tenho ideia do que fazer, acredite. Parece que estou atuando a todo momento de forma errada. Ajude-me, não sei improvisar, Fran!

Clara me deu um abraço forte e pressionou os óculos escuros contra meu ombro esquerdo. Sem saber o que dizer, permanecemos sem muitas palavras durante o restante de nossas pequenas férias. Os diálogos ficaram restritos aos do roteiro, num persistente e cansativo ensaio em que me propunha a ler as falas de todos os personagens que contracenavam com ela. Ao final, as falas pareciam ter sido incorporadas; cheguei inclusive a chorar de verdade na tomada em que o protagonista é abandonado. Foi mais ou menos quando me dei conta de que estava apaixonado. Só não sabia se por Clara ou pela doce criatura que representava e que imaginava ser ela própria em alguma vida passada.

7

O fim da temporada na praia poderia ter sido um alento se Clara não insistisse em se manter todo o tempo de mau humor e minhas tentativas de melhorar o clima entre nós só conseguissem irritá-la mais. Ao contrário, a situação só se agravou ao voltarmos para casa. Os maus tratos se tornaram uma rotina em nossa relação, como se ela tivesse um prazer especial em me espezinhar. Quando estávamos na companhia de outras pessoas, contudo, ela se tornava a Clara de sempre. Cheguei a ser tachado de louco quando me queixei do comportamento dela para Renato.

Em meio às patadas, não me restava muito a fazer além de incentivá-la e torcer para se tratar de uma fase um pouco mais longa que o ciclo menstrual. As semanas de ensaios para o filme foram as mais dolorosas, não só para mim. Clara chegava em casa todas as noites com hematomas ou com parte das roupas rasgadas, tudo em nome da "libertação" da personagem, nas palavras da preparadora de elenco repetidas por ela.

O processo, que mais lembrava uma lavagem cerebral, tinha lá seus méritos. Eu me lembro do primeiro dia de filmagens, num velho prédio de apartamentos no centro da cidade. O diretor era o talentoso Clóvis Brandão, conhecido por seu perfeccionismo e excentricidade. Tão excêntrico, que jamais conseguira concluir filme algum. Com a garantia de liberdade de criação prometida por Doni Calçada, ele optou por um trabalho em locações, mais fiel à realidade, em vez de constituir cenários específicos. Além dele, aguardavam-nos os protagonistas, um assistente de direção e meia dúzia de profissionais espalhados nos cômodos da casa, dois deles no quarto, onde seria rodada a cena. Quase todos fumavam cigarros, o que tornava o ambiente um pequeno cemitério de almas vivas.

— Agora você pode ir embora — disse Clara na minha direção.

Eu estava prestes a obedecer-lhe quando fui cercado por um grupo de técnicos e pelos atores. Todos louvaram minha presença e fizeram elogios ao meu roteiro.

— Não vai ficar para acompanhar as filmagens? — questionou um dos atores que faria o papel do protagonista. Num grande achado do roteiro, compus dois personagens distintos para interpretar o mesmo papel.

Incrível, ele era exatamente como eu havia imaginado enquanto adaptava o livro. Até os resquícios de hematomas dos tempos da preparação o deixavam com a aparência derrotada característica da personagem.

— Melhor não. Sei que minha presença no *set* pode ser incômoda.

— Acreditem, ele sabe ser inconveniente — reforçou Clara, puxando-me pelo braço.

— Deixem o roteirista — intrometeu-se o diretor do outro lado do quarto. Tenso, ele fumava dois cigarros ao mesmo tempo e discutia com um dos estagiários enquanto dava instruções sobre a tomada para o fotógrafo. — Se eu me preocupasse com gente inconveniente jamais pensaria em fazer cinema. Agora, vamos trabalhar.

Contrariada, Clara se jogou na cama cenográfica — na verdade, uma cama real. Houve uma série de ensaios rápidos até a primeira tomada. Deitada, a personagem de Clara espera pelo protagonista fingindo dormir. Este procura não acordá-la, evitando movimentos bruscos. Ao sentar-se de costas na cama, Clara o aborda e despe a camisola, enquanto um dos protagonistas baixa as calças até a altura dos joelhos de modo a penetrá-la. Durante o ato, corte para o outro protagonista, que os observa com um semblante assertivo, narrando os acontecimentos, sentado em uma cadeira. A grande sacada do meu roteiro: ambos eram diferentes e a mesma pessoa ao mesmo tempo. Novo corte seco e fim da tomada. Seria uma cena poética não fosse a crueza da situação, agravada pela perspectiva por trás das câmeras.

Brandão insistia em refazer até as passagens mais simples de maneira exaustiva. O processo de filmagem levou horas, com inúmeras interrupções por causa da iluminação inapropriada (das frestas da janela escapava um sol incompatível com o clima noturno) e detalhes de posicionamento dos atores em relação à câmera, em especial a bunda branca de um dos atores, que, segundo o diretor de fotografia, "estourava" o negativo. Observar Clara nua na frente de toda a gente me constrangia, embora também me excitasse um pouco — vê-la nua sempre estimulava minha libido. Eu sabia que ela sentia o mesmo por baixo da máscara da interpretação da personagem, com um olhar distante, alheio ao que se passava.

Clara ainda estava nua quando a Grande Diva e sua agente cruzaram a porta do quarto para filmar uma ponta no filme. Nem preciso dizer que as atenções se voltaram todas para ela — e sem precisar tirar a roupa. Até o distante Brandão se rendeu à tietagem. Com uma cara de quem desejava sair dali o quanto antes e voltar para suas peças brechtianas, a Dama tentava demonstrar simpatia. A participação especial custaria a Doni Calçada um polpudo cachê equivalente à soma de toda a produção, mas todos, inclusive eu, estávamos certos de que cada centavo valeria a pena. Foi preciso interromper os trabalhos para filmar logo as partes dela. Durante a preparação, a Diva permaneceu sentada na cama ao lado de Clara — nua e inerte ao se ver tão perto da estrela. Todos se esforçavam para não deixar transparecer o amadorismo da produção, evidente até para um iniciante como eu. A atriz fingiu não perceber e foi polida e profissional como sempre — ou como eu acreditava que ela fosse sempre. Fez elogios ao meu roteiro, submeteu-se à troca de figurino e às confusas instruções do diretor, e quando partiu deixou a impressão de que roubaria todo o filme mesmo sem ter nenhuma fala na história.

Em pouco mais de vinte e seis horas ininterruptas as principais tomadas no apartamento foram rodadas. Outros atores vieram, ensaiaram, gravaram e foram embora. Restaram os dois protagonistas, em frente à câmera, e muitas pontas de cigarro e maconha fumadas por todos da equipe por detrás. O abatimento natural dos atores contribuiu para o clima vislumbrado por mim no roteiro. Esgotada e chapada, Clara se foi tão logo dispensada, e dispensando a minha companhia. Resolvi permanecer no *set* após a saída dela tentando colaborar com Brandão, o único com ânimo para novas gravações, sempre com mais intensidade, olhares firmes, dramaticidade e dezenas de outros predicados.

Minha perseverança foi recompensada pelo diretor, que me efetivou como estagiário informal da produção, ao lado de outros garotos que se submetiam a todo tipo de humilhação em troca de um agradecimento no vigésimo minuto dos créditos finais. Mais tarde, revelou-me que passou a nutrir simpatia e admiração por mim depois de ler o texto sobre a final do campeonato de futebol, divulgado durante o fórum de cinema iraniano na internet.

Nas semanas que se seguiram à gravação inicial, o ritmo intenso se manteve, com agravantes. As tomadas externas, por exemplo, precisavam ser filmadas de madrugada, por uma excentricidade de Brandão, em busca da "luz ideal" — mesmo que, no caso, não houvesse luz alguma.

Meus horários quase não coincidiam com os de Clara. Alegando compromissos com as dublagens, ela só aparecia nas locações quando necessário. Com o caminho livre, eu bem que tentava me preservar, só não me privava de ser abordado por uma ou outra figurante mais ousada em busca de alguma fala no roteiro. Nem a presença de Clara evitava alguma aproximação mais intensa, como a da bela atriz de televisão que interpretava a garota com quem o personagem principal se envolvia.

— Alberto Franco, sou sua escrava — disse a atriz ao se apresentar, beijando-me na face duas vezes, uma delas bem próxima aos lábios.

— E eu, seu fã — repliquei tentando devolver a gentileza sem parecer deselegante com Clara, que assistia ao diálogo com um falso desinteresse.

Nem só de assédio eu vivia naqueles dias de gravação. Com a bênção do diretor, fui o responsável por mudar vários elementos cenográficos a fim de torná-los mais reais — ou menos, se a história assim o requeresse —, incluí diálogos de última hora e cheguei a dar sugestões de enquadramento em algumas tomadas mais complexas.

Foi de forma natural, portanto, que Clara e eu nos afastamos. Em casa, quase sempre um de nós estava dormindo. Quando estávamos juntos, falávamos apenas sobre a rotina das filmagens e fofocas de bastidores. Íamos pouco para a cama, para ela quase uma obrigação. Durante o ato, parecia uma atriz pouco convincente no papel de amante realizada.

A situação só piorou depois que Clara passou a ser um dos assuntos preferidos das conversas por trás das câmeras. Nunca soube com exatidão o teor dos comentários, porque todos sabiam do meu envolvimento com ela. Bastava eu me aproximar de um pequeno grupo para o diálogo ser interrompido ou desviado de forma repentina. Com o tempo e os fatos apresentados diante de mim, passei a suspeitar do óbvio: traição.

Sabia que não podia me deixar levar por comentários levianos ouvidos pela metade, mas como explicar a crescente indiferença de Clara, mesclada a raros e suspeitos momentos de euforia? Sem falar no estranho e desconfortável comportamento de todos quando estávamos juntos e nos olhares maliciosos das pessoas na direção dela — e penosos destinados a mim. Tudo me levava a crer que era o único a não saber da traição, mais uma evidência de que a desconfiança não era apenas fruto da minha paranoia.

Não consegui esconder o desconforto com a situação e comecei a agir de modo mais arredio. Estudava a todos de forma minuciosa, à espera de um gesto mais ousado na direção de Clara que entregasse o Judas. Brandão, o diretor, foi o primeiro e óbvio candidato ao papel. Os sinais vinham da crescente insegurança, que culminava em um perfeccionismo doentio. Na frente dela, também parecia intimidado, com uma espécie de tesão reprimido. Se nem ele parecia acreditar em si próprio, por que eu deveria?

Ao final de duas semanas, contabilizava uma lista com quatro suspeitos: além do diretor, inspiravam cuidados um dos assistentes de produção e os dois atores principais. Isso sem falar em uma coadjuvante que depois descobri ser lésbica, assim como pelo menos metade das mulheres da equipe de filmagem. Contando com os de fora do *set*, o número de possíveis amantes de Clara Bernardes aumentava em progressão geométrica. Quanto a ela, nada podia concluir, pois parecia sempre jogar um charme ou se fazer de fácil com os homens quando lhe convinha.

Essa rotina à *la* Dom Casmurro não chegava a me incomodar como ao personagem de Machado. Primeiro, porque tinha certeza de que era traído. Seria capaz de obter uma confirmação de Clara se lhe perguntasse diretamente. E depois, os tempos eram outros, dois séculos se interpunham entre os olhos de ressaca de Capitu e o sorriso cenográfico de minha musa. Ela não era meu amor de infância nem eu um modelo de castidade. Não posso negar que a ideia de ser traído me incomodava, porém, não se tratava de uma questão de vida ou morte, eu pensava nos momentos de resignação.

Os problemas passionais de integrantes da equipe não atrapalharam o transcorrer das filmagens. Clara era uma das atrizes mais elogiadas, embora a confissão de que a personagem fosse, talvez, ela própria em vidas passadas deturpasse um pouco meu conceito sobre a atuação dela. Carmem, a vidente, chegou a visitar o *set* para uma rápida consulta com a atriz e quase foi incorporada à equipe por Brandão. Os atores também se mostraram intérpretes à altura do roteiro que escrevi. Um deles anotou meus contatos e prometeu me convidar para um próximo projeto em cinema ou televisão.

— Eu quero ser o protagonista do seu próximo roteiro — falou.

— Não sei se vai haver um próximo. Esse foi só uma adaptação — eu disse, humilde.

— Deixe disso, Franco! — gritou o outro protagonista ao se aproximar e me dar um tapa de leve nas costas. — Nunca atuei num filme tão original.

— Estava tudo lá, no livro — falei.

— Tenho certeza de que, neste momento, sua mente está maquinando outra adaptação.

Eu apenas sorri, tentando mostrar modéstia, mas no fundo sabia que eles estavam certos. Dificilmente alguém faria uma adaptação do livro para o cinema melhor que eu. Talvez você também conseguisse caso dominasse alguma técnica cinematográfica ou conhecimento, por básico que fosse, de como fazer um roteiro. Despedi-me deles e do resto da equipe com a sensação do dever cumprido. Se dependesse de minha vontade própria, não deixaria mais o *set*. Era assim, então, que as pessoas se sentiam depois de realizar um bom trabalho?

Eu mal podia saber que, ao contrário das filmagens, meu drama estava longe de terminar, com o perdão do lugar-comum. Mas reconheço que é difícil fugir do clichê em determinadas situações, por mais que tentasse imaginar maneiras inusitadas de inovar. Minha vida, no entanto, não é um roteiro — ou não era, até que começasse a lhe escrever. Foram muitas as formas como concebi o momento da revelação: depois de uma carta anônima, ouvindo uma conversa proibida, abrindo a porta do armário e dando de cara com o intruso entre minhas camisas, ou com um simples flagra dos dois mundanos no meio do ato de perversão.

Por isso, ao entrar na república mantive o silêncio de quem sempre se sentiu como um hóspede, ainda mais depois da chegada de Clara. Do quarto de Nélio no final do corredor ouvia-se o mantra enlouquecedor dos quatro ou cinco computadores sempre ligados. Na extremidade oposta, onde a porta também estava fechada, outro tipo de som atraía meus ouvidos, quase imperceptível para um desavisado. Na ponta dos pés entrei no quarto — *no meu quarto* — e encontrei os dois deitados, comprimidos na pequena cama de solteiro em um sono perturbador.

Não sei se você alguma vez teve o desprazer de pegar sua mulher na cama com outro cara. Só posso dizer que, vê-los ali, da forma como Clara e eu passamos tantas noites — ou parte delas, quando me expulsava de volta para o colchão em busca de mais espaço —, pareceu-me em princípio a materialização de um roteiro imaginado, com um dos atores trocados. Em seguida, eu me vi de volta às gravações do filme, a iluminação de fora para dentro em perfeita sincronia com os contornos do corpo dos atores: Clara e... não, nenhum ator tinha o direito de me roubar a cena!

Ninguém, muito menos Renato. O meu amigo, de quem sempre desconfiei, embora não o considerasse capaz de me trair, enroscava-se no corpo de minha amada, e ela lhe atendia com uma reciprocidade sórdida que me embrulhava o estômago. Não me peça imparcialidade agora; nem depois de tanto tempo poderia achar a imagem cândida, a clássica figura dos amantes extenuados após entregarem um pouco do melhor de si próprios ao outro. Lembro-me apenas de que as lágrimas começaram a escapar dos meus olhos sem que eu soubesse ao certo se de tristeza, ódio ou arrebatamento.

Com os dois ainda dormindo, comecei a arrumar as malas. O abrir e fechar de gavetas logo os acordou. A primeira reação de Renato foi um esperado espanto. Primeiro, buscou no pulso um relógio inexistente, esboçou dizer algo, mas outro algo pareceu ter lhe travado a garganta. Num salto, veio ao meu encontro.

— F... Frran... me... putz... eu... é... não... — nenhuma palavra com consistência lhe vinha à mente, enquanto caía aos meus pés num gesto pecador.

Continuei calado, concentrado no trabalho de recolher algumas roupas e objetos de higiene pessoal. Com o sobressalto, Clara despertou e passou a nos observar sem esboçar reação, com um falso aspecto de controle da situação. De volta ao lado dela, Renato mergulhou a cara no travesseiro e começou a chorar.

— Acho que perdemos a hora — ela falou num tom baixo, mas seguro. — Você não está chateado, está?

— Cale a boca! — ordenei de costas para ela, tentando em vão manter o equilíbrio.

— Franco... não sei o que dizer — lamentou Renato em meio aos soluços. — Você não devia ter me visto aqui. Eu também não...

As justificativas foram interrompidas pela entrada fulminante de Nélio no quarto. Respirando com dificuldade e olhando-me no fundo dos olhos, declarou, aos berros e sem medir as palavras:

— Foi Clara quem disse que vocês tinham um relacionamento aberto! Achei estranho no começo, mas acabei me acostumando...

Voltei-me em direção a ele, incrédulo. E depois para Clara, que permaneceu em silêncio sem saber como lidar com a confissão não forçada de meu outrora amigo.

"Tudo bem, vocês me pegaram, foi muito engraçado", tive vontade de dizer, mas o pouco das entranhas que ainda não haviam sido atingidas pelo golpe ficaram dilaceradas.

Uma forte tontura me alcançou e nem ouvi o barulho da porta da frente prenunciar a chegada de Daniel. Quando dei por mim lá estava ele, ajoelhado aos meus pés e implorando perdão.

— Foi uma única vez, eu juro! Eu não tive a intenção e...

Com dificuldade e sem nada enxergar à frente, abri caminho entre todos no espaço reduzido disponível e abandonei Clara com os três no meu quarto. Amparado pela velha mochila dos tempos da faculdade, que eu segurava pela frente com os dois braços como se dependesse dela para não desabar no chão, cruzei a porta e desci a pé os sete andares do prédio. A visão turva me dava a impressão de que os degraus se deslocavam sozinhos em minha direção. Aguardava com um misto de ansiedade e consternação o momento em que perderia o equilíbrio e rolaria por eles até o piso gélido e áspero. Com alguma sorte, quebraria a coluna e ficaria tetraplégico. Consumida pelo remorso, Clara cuidaria de mim e nem se importaria pelo fato de eu não ter mais condições de fazer sexo. No fundo, nossa relação sempre teve algo de platônico.

Atingi o solo a salvo, mas a descida deve ter sido lenta, pois Clara me aguardava com um ar impaciente e apreensivo na frente do prédio, os braços cruzados de frio. Na pressa para se vestir e me alcançar, esqueceu-se de colocar um casaco. Ela insistiu em me acompanhar pelas ruas depois que passei ao seu lado sem olhar para ela e ignorei o apelo para conversarmos.

— Quer andar mais devagar, por favor? — pediu.

— Vá embora! — gritei, furioso por não conseguir conter as lágrimas ao olhar para ela.

— Fran, acho que você não entendeu a situação. Nós nunca tivemos um relacionamento, assim, como namorados...

— Para mim, era bem mais que isso — interrompi. — Nós morávamos juntos.

— Sim. E também Renato, Daniel e Nélio.

— Mas isso não significava que você tinha que dar para todos eles.

— Nem para você.

— O que quer dizer?

— Você sabe que desde o começo meu objetivo era fazer o laboratório da personagem.

— E desde quando viver comigo serve de experiência para alguma atriz?

— Você e o protagonista do filme têm muito em comum, admita.

— Você quer é me confundir. Vai me dizer que sua promiscuidade com meus amigos fez parte do laboratório também?

— Não, isso não. Mas pensei que nosso tipo de relação estivesse claro.

— Claro, Clara. Claríssimo! — gritei com ódio.

— Não imaginei que você fosse do tipo que ligava para essas formalidades.

— É incrível, você nem ao menos finge que está arrependida!

— Não quero e nem me peça para me sentir culpada. Não fiz nada de errado.

— Como você pode ser tão insensível?

— Eu entendo, Fran. Mas não posso voltar no tempo. Se quiser, podemos ir de novo até a Carmem para uma terapia de regressão.

— Essa vidente é uma filha de uma puta! Nós não fizemos terapia de regressão coisa nenhuma, NÓS TRANSAMOS!

Ela me encarou em silêncio por alguns instantes antes de responder, tempo em que minha moral de homem traído perdeu boa parte da credibilidade.

— Não leve tudo tão ao pé da letra. A revelação é algo pessoal, cada um vê o que precisa ser visto e sente o que precisa ser sentido. Mesmo que você me dissesse o que houve eu não seria capaz de entender.

— Mas eu acabei de dizer, e com todas as letras! Será que você não entende nada de sentimentos? — perguntei olhando bem nos olhos dela.

— Como não, eu sou uma atriz, esqueceu? — ela disse limpando parte das lágrimas do meu rosto enquanto uma pequena gota lhe escorria dos olhos.

Com um sorriso inocente e os olhos úmidos, Clara não buscava perdão. No fundo, talvez desejasse apenas provar que era mesmo uma boa atriz. Disso eu não podia discordar. Afastei a mão dela com ternura e, em seguida, dei-lhe as costas e retomei meu caminho. Ela deve ter entendido, pois permaneceu parada sem reagir à despedida. Podia ter me dado um beijo, um último beijo, quem sabe, mas aí nossa atuação perderia em verossimilhança, não acha? Se estivéssemos em um filme, essa seria a solução mais fácil. Em uma narração como esta que você lê agora, com um misto de pena e dúvida — afinal, não estamos nem na metade —, seria apenas a concretização de um desejo que eu não conseguia controlar. Um desejo de tomá-la nos braços, de voltar para casa, onde escreveríamos uma nova história, dessa vez sem nenhuma adaptação para nos atormentar.

8

A vida de todos é marcada por momentos alegres, outros nem tanto, e também algumas situações fora do padrão. Você também deve ter passado por problemas semelhantes ou até piores; então, por que comigo haveria de ser diferente? Essa impressão de que tudo estava *fadado* a acontecer é que me incomodava.

Vaguei um bom tempo pelas ruas sem saber o que fazer logo depois de deixar a república. Pensei em voltar e tentar esclarecer o que poderia ser um grande mal-entendido. Ou fingir acreditar que se tratava de um mal-entendido. Cansado, acabei me instalando em um hotel próximo. Passei a maior parte da madrugada acordado, assistindo a filmes pela metade na tevê a cabo.

Você tem o direito de me matar. Você tem o direito de fazer isso, mas não tem o direito de me julgar.

O que faria o capitão Willard se recebesse a missão de me resgatar dos braços de Clara? Na certa, tomaria a mesma atitude que eu. Perdida a guerra, cheguei à conclusão de que estava na hora de regressar para casa, minha verdadeira casa. Bater em retirada do campo inimigo e retomar a história do ponto onde insisti em rompê-la me pareceu não só correto, como inevitável. O filho pródigo mais uma vez cumpria sua sentença, numa repetição incômoda da profecia.

Aguardei em silêncio pela manhã, que despontava do lado de fora e embaçava a janela encardida do quarto. Qual seria a reação dos meus pais quando cruzasse a porta da frente depois de tanto tempo como se apenas houvesse saído para brincar com os amigos ou correr atrás de alguma vizinha solícita para atender aos anseios sexuais de um jovem com os hormônios à flor da pele? Para quem devia estar dado como morto, a aparência era fundamental. Diante de qualquer vestígio de insegurança ou fracasso eu seria interrogado sem trégua até confessar o real motivo da visita, ou melhor, da mudança. Pensando nisso, fiz questão de tomar um longo banho, tirar a barba e me servir do café da manhã incluído na diária antes de deixar o hotel.

Morávamos na mesma cidade, separados por um longo percurso que envolvia várias baldeações de metrô com destino à última estação para depois tomar um ônibus e viajar mais meia hora até o ponto mais próximo, ainda distante cerca de quinze minutos a pé. A primeira a me ver foi minha irmã. De biquíni na parte de cima e um *short* curto, apesar da temperatura amena, lavava o quintal enquanto aproveitava para tomar sol. Como era de se esperar, a primeira reação dela foi de surpresa, que logo se transformou em ironia mesclada a uma conhecida irritação.

— MÃE, você não vai acreditar em quem está aqui na porta de casa! — gritou.

— Atenda logo, menina! — ouvi a voz de mamãe ao longe.

Eu podia muito bem abrir sozinho, ou até pular o pequeno e enferrujado portão de ferro da entrada, se quisesse. Contudo, permaneci sem ação, assistindo à movimentação dentro de casa e me acostumando às pequenas mudanças ocorridas desde que deixara o lugar. Logo depois, apareceram meus dois irmãos e uma mulher grávida — a julgar pelo tamanho da barriga, de uns quinze meses —, tão incrédulos e incomodados quanto minha irmã.

O clima ruim somente foi quebrado quando mamãe, impaciente como sempre, saiu da cozinha e, ao vislumbrar o filho preferido (que meus irmãos não saibam) havia tanto desaparecido, foi ao encontro dele em lágrimas.

— Meu filho, meu filho, meu filho... — repetia entre beijos e abraçando-me forte. Minha emoção era contrabalançada, em parte, pelo avental molhado de mamãe, que incomodava ao encostar em minhas partes baixas.

— Eu voltei, mãe. Voltei para ficar — falei, convicto.

— Ficar onde? — perguntou minha irmã na direção de mamãe.

— Cale a boca, menina! — ordenou. — A gente sempre dá um jeito. Não é, filho?

— É só por um tempo — corrigi para não constrangê-la.

A velha casa onde morei desde criança agora era ocupada pela garota que meu irmão mais novo engravidou e logo, talvez a qualquer minuto, também por meu sobrinho. Os dois ocupavam um dos três quartos, que já contava com um pequeno berço, enquanto meus pais e os outros irmãos se dividiam nos dormitórios restantes.

— Cadê o pai? — perguntei.

— Você sabe. Algumas coisas aqui não mudam — intrometeu-se minha recém-apresentada cunhada, sempre com a mão repousada nas costas, para não perder o equilíbrio.

Até onde eu sabia, papai parara de beber, mas nem assim deixava de frequentar o boteco mais próximo. Dirigi-me até o lugar, onde encontrei os caras — mais velhos e barrigudos — e os assuntos de sempre. Um deles me reconheceu.

— Ô Franco! Esse aí não é o seu filho? Há quanto tempo, Franquinho! — gritou.

Ele arrumou os óculos com lentes grossas no rosto antes de se virar na minha direção e, depois de um tempo, me reconhecer. Trabalho maior tive eu para fazê-lo. Papai estava velho, muito velho, desde a última vez que o vira, no hospital. Da cabeleira branca amarelada e desgrenhada à pele cheia de sulcos e com aspecto de semidecomposta.

— É ele, sim — respondeu ao colega de copo antes de dar um grande gole em um líquido amarelado que presumi — e torcia — para ser suco de laranja sem açúcar.

Algumas pessoas vieram me cumprimentar, entre elas o dono do bar, que me estendeu a mão do outro lado do balcão e me ofereceu uma cerveja, que neguei com um gesto.

— Oi, pai — falei sem jeito.

— O que veio fazer? Coisa boa não pode ser, depois de tanto tempo — ele disse sem se virar.

— Faz tempo, eu sei...

— Disseram-me que você foi me visitar, mas como eu vou saber, se ainda estava todo entubado quando você fez o favor de ir lá? — interrompeu ríspido.

— Olhe, se quiser discutir, tudo bem. Mas não vamos fazer isso aqui, na frente de todo mundo.

— Você tem vergonha de mim, dos meus amigos, não é?

Nesse momento, todos no bar me olharam atravessado. Por sorte, eles me conheciam desde pequeno e sabiam da loucura do velho.

— Vim buscar o senhor para a gente almoçar. Vamos?

— Eu nunca almoço em casa, você sabe.

— É, mas hoje é um dia especial. Seu filho mais velho está de volta, depois de cinco anos.

— Seis anos e três meses, você ainda não aprendeu a fazer contas — corrigiu envolvendo-me em seguida em seus longos e cansados braços.

O velho tinha coração, eu sabia. Retornamos juntos para casa, com papai apoiado em meu braço esquerdo para compensar parte da dificuldade de caminhar.

Mal havia comida suficiente para alimentar duas bocas a mais, mas mamãe não ligava. Ter a família inteira reunida depois de tanto tempo deve ter sido a realização de todas as preces dela, ainda que não coubessem todos à mesa e meu irmão mais novo com a esposa fossem alojados no sofá. Minha cunhada ao menos tinha a enorme barriga para acomodar o prato. Contentei-me com um copo de Coca-Cola *light* que trouxe do bar junto com papai mais um pedaço de torta de atum, receita tradicional de casa. A gritaria de todos se misturava ao ruído da tevê, que exibia um filme de aventura. Seria capaz de jurar que a voz da heroína, mais uma vez, era de Clara.

Era difícil imaginar como podia ter ficado tanto tempo afastado. Não era mais como eles, embora me reconhecesse em cada um, até na cunhada e no futuro sobrinho (era um menino). Se não houvesse deixado a casa era possível que o papel do pai agora fosse meu, e quem sabe não houvesse assumido o posto guardado por ele no bar? Um alcoólatra derrotado, diabético no futuro e feliz; que mais uma pessoa poderia desejar para a própria vida? Por algum motivo, as palavras da vidente "tudo está escrito" me voltaram à mente.

— Pois então — papai me cutucou. — Trabalhando?

Era a deixa que eu esperava. Não via a hora de contar a todos de minhas realizações profissionais.

— Claro, sou um roteirista, trabalho com cinema!

— Mas você não disse que ia esquecer essa loucura? Você mesmo disse que era uma loucura — lembrou mamãe, delicada.

— Eu sei, cheguei até a passar uns tempos no jornalismo, mas enjoei rápido. Foi quando recebi a proposta de uma produtora para escrever a história de um filme. Um filme, mãe! Seu filho é o roteirista de um filme de verdade — falei, extasiado.

— É mesmo? Vai aparecer na tevê? — perguntou sem deixar de mastigar um pedaço da torta.

Nesse momento, todos me olhavam curiosos.

— Nos cinemas, com certeza. Na tevê deve demorar um pouco, não sei.

— Mas você vai aparecer na tela? — insistiu.

— Só meu nome. Eu não sou ator, mãe. Só escrevo a história, entende?

Ela fez que sim e olhou-me um pouco decepcionada, acompanhada pelos demais.

— E do que trata a história? Foi você mesmo quem fez? — perguntou tentando recuperar o ânimo.

— Na verdade, foi a adaptação deste livro — respondi mostrando a eles a cópia amarrotada de tanto uso, depois de pegá-la na mochila.

— Esse é um dos meus livros preferidos! — gritou do sofá meu irmão mais novo.

Com o prato na mão, correu ao quarto e me trouxe o exemplar dele, bem mais conservado, mas com mostras de ter sido lido várias vezes. Meu outro irmão, o do meio, também revelou tê-lo lido, mesmo sem entender boa parte da história.

— Não sabia que vocês gostavam tanto assim de livros — falei tão irônico quanto surpreso.

— Eles não gostam, só leram esse por sua causa — disse meu pai.

— Por minha causa? Não sabia que ainda era uma boa influência nesta casa. Lembram quando mandava vocês lerem jornal? Se não fossem tão preguiçosos...

— Quer calar a boca, Franquinho? — interrompeu minha irmã. — Você nunca foi influência de porra nenhuma aqui.

— Sem palavrão na mesa! — gritou mamãe, mais interessada em defender os bons costumes que a mim.

— O que você veio fazer aqui? Depois de tanto tempo fora e sem dar sinal de vida resolveu se lembrar de que tem uma família? E não me venha dizer que veio só contar sobre a sua porcaria de filme que ninguém vai ver.

Ela tinha um garfo na mão direita e o segurava como se quisesse usá-lo para atingir alguém. Por sorte, meu irmão do meio estava entre nós. Ora, eu não desejava briga, mas também não podia me intimidar.

— Pode ficar tranquila, você não vai precisar sustentar mais uma boca, não. Aliás, com o dinheiro que eu ganho com os meus roteiros posso dar uma vida de madame para você e toda a casa.

— Franquinho, você nunca teve onde cair morto. O cara com quem você divide apartamento paga as suas contas. Isso me parece muito estranho...

— Veja só quem fala, a putinha mais manjada da vizinhança — reagi, como nos velhos tempos.

Do ponto onde estávamos, as gentilezas só aumentaram. Minha irmã e eu sempre nos odiamos do fundo da alma. As discussões de criança, até certo ponto espirituosas, deram lugar a divergências irreconciliáveis depois que crescemos. A situação se agravou depois que ela precisou arcar com quase todas as despesas do hospital, no tempo em que papai esteve internado. Decidimos pagar uma propina no hospital público para ele receber um melhor atendimento. Endividou-se na praça e vendeu a velha moto, esperando a parte do irmão mais velho, que depois de se comprometer a levantar dinheiro para ajudá-la sumiu do mapa, como sempre. A culpa não foi minha, naquela época eu já morava fora de casa e tinha meus próprios compromissos a honrar.

Estava preparado para devolver o dinheiro, mas esperava fazê-lo sem confronto. Tudo bem, a quem quero enganar? Para dizer a verdade, o confronto não só era esperado como, no fundo, eu até implorava por uma chance de mostrar meu valor. Esperei o melhor momento para dar a cartada final no nosso bate-boca. Foi ela citar o calote para eu tirar do bolso da calça *jeans* um grande maço de notas de cinquenta e dez, que havia sacado do caixa eletrônico depois de deixar o hotel. Espero que o gerente do banco não tenha ficado chateado.

— Se seu problema é dinheiro, estou disposto a pagar para não ter que ouvir sua voz — falei imponente.

No calor da discussão, as notas saltaram de minha mão e ganharam vida própria. Uma delas caiu no prato de papai, que, contrariado, levantou-se da mesa, e sem nada dizer, saiu tropeçando pela porta da frente. Engraçado, por um capricho do destino ele andava da mesma maneira que nos tempos de bebedeira. Após um instante de silêncio mútuo, decidi fazer o mesmo, deixando o local emporcalhado de comida fria e dinheiro para ir ao encontro dele.

Papai não havia ido longe. Encostado no muro, do lado de fora da casa, acenava para as pessoas que passavam na rua sem olhar para elas. Nem precisava levantar a cabeça para saber de quem se tratava. Coloquei-me ao lado dele, sentado na parede baixa, dessas que não se vê mais nem em bairros pobres como aquele. Assim permanecemos por algum tempo, até ele puxar assunto.

— Acho melhor você não ficar aqui, filho.

— Desculpe, pai, eu sei que exagerei lá dentro, não foi minha intenção. Ela me deixa louco...

— Sua irmã tem razão. Pense um pouco, você não tem mais nada que fazer aqui.

— Eu pensei que fossem gostar de me ver.

— Pensou nada, senão não teria chegado desse jeito, depois de tanto tempo sem nem ligar para casa.

— Se não sou bem-vindo aqui, é melhor ir embora.

— Não é isso, você sabe. Não é assim que se resolvem as coisas, será que eu não lhe ensinei nada? Não, eu sei. Agora escute, filho. Se não quiser, não diga nada, mas sei que alguma coisa deve ter acontecido para você vir parar aqui.

Ele tentava ser sincero, do jeito dele, o que me obrigava a também abrir o jogo, ao meu modo.

— Não sei, pai. De repente, tive vontade de ver como todos estavam, ter certeza de que estavam aqui. Tentar voltar a ser o que eu era antes de sair de casa, quando tudo parecia menos complicado.

— Você não queria ser famoso, artista de cinema, ou sei lá? Não está feliz porque conseguiu?

— Não, não estou. É como naquela música: o que eu quero eu não tenho, e o que eu não tenho eu quero ter. Entende?

— Entender eu não entendo, Franquinho. Só acho que você não está mais na idade de pensar desse jeito. Não quer casar, ter filhos?

— É disso que estou falando. Minha vida parece estar sempre no tempo errado, tudo que desejava agora era casar, ter filhos. Se quer saber, acho que foi por isso que voltei. Já tive várias relações fracassadas, sempre por minha culpa. Com a Clara, minha última namorada, foi o contrário. Fiz tudo, ou quase tudo dentro do que se pode esperar de um cara legal, quando era justamente com ela que devia ter agido como nos velhos tempos. Sei que Clara é a última pessoa do mundo com quem deveria me casar. E talvez por isso eu queira ainda mais, apesar de tudo que fez. Mas, como vou saber se ela vai ser uma boa mãe ou se, na verdade, apenas vai representar ou dublar um papel de boa mãe?

Ao tocar no nome de Clara, como que por acaso, o interesse de papai no meu lamento aumentou. Ele procurou me ouvir atentamente, até que, de maneira inesperada, não se conteve e... começou a rir! Era uma gargalhada despudorada e sem controle, a ponto de deixá-lo sem ar. Ao mesmo tempo, juntaram-se a nós mamãe e minha irmã, ela agora com feições mais calmas e dois maços nas mãos, um do meu dinheiro e outro de cigarro.

— Você não está falando de Clara Bernardes, a atriz, está? — repetiu minha irmã antes de me oferecer um cigarro e tentar me devolver o dinheiro.

Intrigado com a súbita mudança nos rumos da conversa e ainda descrente de que eles sabiam de quem se tratava, recusei o cigarro e o dinheiro e confirmei minha atração por Clara Bernardes.

— Vocês ouviram essa? — papai disse ainda entre soluços. — O Franquinho quer se casar com Clara! — bradou, puxando um coro de novas risadas.

— De onde vocês conhecem Clara? — perguntei num misto de surpresa e assombro. — Ela nem é uma atriz famosa.

— Ora essa — disse mamãe. — Foi ela quem veio aqui e contou do filme.

— Ela disse que precisava fazer umas pesquisas para um papel, saber quem era você. É claro que a gente contou todos os seus podres — esclareceu minha irmã ao detectar uma nova oportunidade de me ridicularizar.

Pelas minhas primeiras e rápidas conclusões, Clara se aproximou primeiro de minha família, depois de mim, com o único objetivo de recolher informações para compor a personagem do filme que adaptei, antes de saber que eu o iria adaptar. Eu me senti traído, mais até que pelo fato de ela ter transado com meus amigos.

— Clara é uma menina muito inteligente e muito bonita, filho. Não serve para você — falou mamãe.

— Pelo visto, eu sou burro e feio, então — reclamei.

— Não, meu filho. Você é lindo! Mas você...

— Eu sou um roteirista, mãe. E quero que aquela traidora se dane, é claro que ela não serve para mim!

— Nenhuma mulher serve para você, Franquinho — provocou minha irmã. — E não adianta me olhar desse jeito, quem falou isso foi Clara.

— É verdade — disse papai antes que eu pudesse responder. — Você é daquele tipo que sempre acaba sozinho no final.

Eu estava pronto para dar mais uma resposta direta e mal-educada, mas as palavras não saíram. Talvez eles estivessem certos. Acabar sozinho no final me incomodava menos que imaginar que as pessoas *sabiam* que isso ocorreria, cedo ou tarde. Mas o que minha família ou Clara Bernardes sabia sobre mim? Alberto Franco era um roteirista de cinema, com uma passagem rápida e marcante pela imprensa, uma pessoa invejada e admirada por muitos. Não em casa, é claro. Ali, eu era somente o Franquinho, e por mais que fizesse ou mudasse não passaria de um fracassado condenado a acabar sozinho no final. Não havia dinheiro no mundo capaz de tirar deles a impressão sobre mim deixada por Clara. Ou quem sabe não seja o contrário? No fundo, todos ali, incluindo agora minha cunhada grávida, não passavam de figurantes desnecessários na própria vida de cada um.

Por via das dúvidas, optei por perseguir minha sorte. Deixei a velha casa pouco depois, da forma que entrei, inclusive com o maço de dinheiro vivo no bolso, fazendo um volume que aparentava uma ereção. Prometi visitar meu irmão mais novo e minha cunhada no hospital assim que meu sobrinho nascesse. Acabar sozinho? Pois bem, desde que *eu* diga quando e como será o final.

9

Depois de compartilhar tantos detalhes da minha densa personalidade, incluindo o complexo histórico familiar, a essa altura você já deve estar mais à vontade com minhas pequenas extravagâncias. Um especialista poderia passar horas discorrendo sobre as nuances da minha intrincada psique. Não é por acaso, afinal, que se formam os gênios. Por isso, a entrada de Samara nessa história não deve lhe provocar nenhum tipo de sobressalto. E o que você diria de Maiara e Luana — que com Samara passaram a dividir o corpo e os fluidos deste seu humilde escriba — além dos nomes um tanto exóticos? Na época, passei a ter como premissa que um homem não tem condições de se sentir realizado sexualmente apenas com uma mulher. Se tivesse que terminar sozinho, não o faria antes de aproveitar em grande estilo o início e o meio. Nem me importava ficar só no fim, desde que durasse o mínimo possível.

O medo não era da solidão em si, mas do sentimento de fracasso que volta e meia me incomodava, até mesmo depois das maiores realizações, como a conclusão das filmagens. Com o passar do tempo, essa sensação piorou. Primeiro, porque não voltei a trabalhar em nenhum roteiro novo. Depois, pelo atraso na conclusão do filme. Conversei algumas vezes com Doni Calçada, o produtor, em busca de um novo projeto, mas ele não se mostrou interessado. O produtor tampouco se animou com minhas novas ideias, como a da saga de vampiros virgens que descobriam um complô da Igreja para assassinar o presidente da República.

— Seria difícil aprovar esse projeto em alguma lei de incentivo fiscal", justificou.

— Podemos dizer que os vampiros virgens são da oposição...

— Franco, não me leve a mal. Você era perfeito para aquele roteiro — sentenciou.

A sinceridade talvez nem me chateasse tanto se a produtora não continuasse me devendo parte do combinado. Ciente do calote, Doni chegou a me oferecer uma noite com Sônia, a secretária e atriz, ou com ele próprio, quem sabe os dois, para complementar parte da remuneração. Recusei a oferta, até porque já conhecia os serviços da secretária.

Eu tinha motivos para me preocupar com dinheiro. Minhas mulheres eram belas e excêntricas não só no nome como também no estilo de vida. Presenteei-as com joias e champanhe, levei-as aos mais caros motéis e restaurantes, fomos ao teatro e viajamos, tudo por conta do roteiro adaptado e do limite do cartão de crédito oferecido pelo banco. Nem a descoberta da existência umas das outras, nem as outras relações extraconjugais passageiras, como a que tive com a secretária de Doni Calçada, abalaram o amor sincero que sentiam por mim. Na cama, esforçavam-se por realizar minhas fantasias mais peculiares. Luana, por exemplo, chegou a me amarrar à banheira de hidromassagem do quarto de um motel para depois enchê-la de água. Mais tarde, reconheceu que o nó da corda estava bem mais apertado que o combinado, o que quase provocou um acidente grave — nada que um paramédico experiente não houvesse enfrentado antes. Por via das dúvidas, com Maiara e Samara limitei as brincadeiras a um grau de periculosidade menor. Cheguei a pensar que estivessem comigo somente pelo dinheiro, hipótese descartada quando voltei a me encontrar sem meios para sustentar nossa Babilônia particular. Se esse fato coincidiu com o rompimento dos relacionamentos, credito o acaso a um "choque de incompatibilidades" (belas palavras de Maiara) exacerbado pela convivência intensa.

Na mesma tarde em que deixei a casa dos meus pais voltei a viver com Nélio, Renato e Daniel, não sem antes expulsar Renato do meu quarto. Sem cerimônia, ele havia separado minhas roupas no armário para pôr as dele no lugar. Imagino que meu retorno tão rápido, como se quase nada houvesse acontecido, os tenha surpreendido. Jamais voltei a tratar do assunto "Clara", e mesmo assim ouvia pedidos de desculpas quase todos os dias de pelo menos um deles. E quando não o faziam, baixavam a cabeça, silenciosos, ao cruzar comigo no corredor do apartamento.

Tratei logo de usar o peso da culpa deles a meu favor. Primeiro, tornei o pagamento das contas facultativo. Nélio não se atrevia a me cobrar ou sequer apontar o saldo negativo em suas planilhas. De forma misteriosa, meus débitos apareciam sempre quitados na semana seguinte. Depois de um tempo, percebi que o altruísmo dele era rateado entre os demais. Era um grande filho da puta, esse Nélio. Cada vez mais misterioso, isolou-se ainda mais e fez do quarto o único local de convívio. Nas raras vezes em que saía de lá, pedia a todos para deixar a passagem livre, jamais se deixava ficar a menos de dois metros de um de nós, tarefa complexa em um apartamento lotado de tralhas.

De todos, Daniel era quem mais tentava emular uma convivência natural. Era o único que ousava bater à minha porta, sempre para me mostrar algum dos seus escritos tolos. Se antes eu procurava não revelar minhas opiniões para não magoar o autor, agora fazia questão de compartilhar minha crítica ácida e destrutiva, como ele próprio fazia no *Jornal*. Da última vez, cheguei ao extremo de rasgar os originais na cara dele, uma maldade que me provocou um prazer quase orgástico. Humilhado, sua única reação era se trancar no quarto, num misto de tristeza e ódio engolidos a seco.

Reconheço alguns exageros na vingança, pelo menos com Renato, meu melhor amigo de outrora. Abusei de todo o potencial da subserviência dedicada dele. Transmutado em uma espécie de secretário particular, fazia toda espécie de favores, bastava eu pedir. Como se cada almoço preparado, cada cueca lavada ou massagem nos meus pés fatigados pelo ócio pudesse desculpá-lo, aos poucos, pela traição desferida contra mim. O pobre não compreendia que nada do que fizesse apagaria as cicatrizes deixadas pelo afiado punhal atravessado por ele em minhas costas. Pior, quanto mais fizesse, mais reviraria a lâmina em minhas entranhas e delas se refestelaria.

Nesse sentido, Clara foi mais esperta, devo reconhecer. De cara, não reconheci a buzina que me martelava os ouvidos enquanto caminhava na direção da estação do metrô, até o som irritante ser substituído pelo de uma voz familiar, talvez de algum filme de terror adolescente, a repetir meu nome.

A primeira e óbvia reação era ignorá-la e seguir meu caminho. Ela não desistiu e manteve a perseguição, formando atrás uma extensa fila de carros. Não demorou até os motoristas se impacientarem e darem início a um concerto ensurdecedor de buzinas mescladas à voz soprano de Clara.

— Pensou que eu fosse desistir? Você não me conhece — ela disse assim que entrei no carro, ainda sob os protestos da sinfonia desafinada dos carros atrás de nós.

— O que você quer? — retruquei olhando para o lado oposto a fim de demonstrar minha contrariedade.

— Preciso de companhia para um compromisso.

— Logo eu, que sou do tipo que fica sozinho no final?

— Quanto rancor! Isso não faz bem, sabia? Agora sou uma nova mulher, não reparou?

Mirá-la tão de perto mais uma vez foi complicado. Uma profusão de sentimentos represados quase me sufocou. Era bela, por que tão bela, diabos? Estava diferente, com os cabelos cacheados ainda mais revoltos e exuberantes, e a pele bronzeada de um sol fora de época. Com um sorriso, passou as mãos pelo colo, num decote que não costumava usar, e desceu devagar, indicando o volume dos seios.

— Franco, Alberto Franco. Muito prazer — brinquei fazendo menção de cumprimentar o par de mamas dilatadas, imóveis.

— Você é um desmancha-prazeres, em todos os sentidos! — irritou-se.

— Eu sei. Acho uma bobagem mexer no que já estava perfeito.

— Vou tomar isso como um elogio. Mas vai me dizer que não faria o mesmo, se pudesse?

— Eu não tenho peito. Quer dizer, eu tenho, mas gosto do tamanho deles...

— Você sabe que não estou falando de seios.

— Se veio atrás de mim para me humilhar, perdeu seu tempo. Não me importo com as minhas medidas. E se isso é problema para você, por que não corre atrás do Renato ou do Daniel? Ou quem sabe você não convence o Nélio a sair do quarto?

— Não seja tão piegas! E, se quer saber, você não seria minha última opção entre eles.

— Oh! não? — falei pondo as duas mãos sobre o peito esquerdo, irônico. — Minha autoestima agradece.

— Não se anime tanto, você só está na terceira posição nessa corrida. E isso porque seu amigo Daniel está realmente muito abaixo dos padrões.

— E quem é o primeiro? — dei corda, vencido e, vá lá, um pouco curioso.

— Renato, sem dúvida.

— Que surpresa, eu arriscaria Nélio.

— Renato também me surpreendeu. Aquele negócio é desproporcional! — empolgou-se.

— Desproporcional quanto?

— Não queira fazer a comparação. Sua autoestima agradece.

Interrompemos a conversa amistosa quando ela freou o carro em frente a um salão de festas infantil. O compromisso ao qual se referira era o aniversário de seis anos do sobrinho, filho da irmã mais velha. E por que precisava de mim ali? Ela achava essas festas de criança muito chatas, assim como tudo relacionado a crianças. Além do mais, não conhecia mais ninguém no lugar além da irmã, do cunhado e dos pais dela. Minha presença seria uma forma de se socializar no ambiente, em meio aos casais bem-sucedidos e seus filhos ridiculamente felizes. O fato de não sermos um casal e de não termos filhos e minha recém-declarada bancarrota financeira não impediriam nosso entrosamento, garantiu.

Fomos recepcionados por uma adolescente vestida de palhaço, que nos indicou a mesa onde um velho tragava um cigarro escuro ao lado de uma mulher esquisita, com excesso de maquiagem no rosto. Clara acenou com a mão direita na direção deles enquanto nos aproximávamos, o outro braço laçado ao meu. Formávamos um par ideal para a circunstância: ela, uma dubladora e atriz em ascensão, atraente, inteligente, ao lado de um roteirista de cinema com futuro igualmente promissor.

— Você não aprende, Clarinha! Toda vez que a encontramos você está de namorado novo — repreendeu o velho, em tom de brincadeira, sem olhar para mim.

— Ele não é meu namorado, pai. É só um amigo — ela disse.

Confesso que não pude evitar certo desapontamento. Já estava adaptado ao papel de namorado.

— Alberto Franco — adiantei-me estendendo a mão para o pai de Clara, que reagiu assustado, a princípio, para depois retribuir meu gesto com um sorriso amarelo, deixando meu braço duro e não correspondido estendido no ar.

Os três começaram a falar sobre assuntos que eu desconhecia: a velha tia doente, a situação no banco onde o pai de Clara era executivo, alguma travessura nova de algum dos alunos na escola de propriedade da mãe dela. Nesse último assunto, sentia-me forçado a acompanhar as gargalhadas deles por educação. Tudo estaria perdido, não fosse o bom garçom, que, ciente das minhas dificuldades, tratava de manter meu copo de cerveja cheio. Não precisei de muito tempo para compreender que se tratava de uma família rica. Clara não tinha necessidade alguma de viver comigo e dividir o pequeno espaço do apartamento onde eu morava com meus amigos. A máscara de mulher autossuficiente também caiu logo. O banco onde o pai de Clara trabalhava havia sido um dos patrocinadores do filme. Nada mais cômico: o papai dando dinheiro para a filhinha brincar de atriz. Está certo, eu podia ter chegado a essa conclusão antes, se na época não estivesse cego pelo amor.

Recuperada a visão, inclusive no sentido literal, não pude deixar de olhar para os lados enquanto os três continuavam a conversa reservada. Logo notei que, além de crianças, estávamos cercados por belas mães, mulheres na casa dos trinta e tantos anos, do tipo profissionais bem-sucedidas, independentes, que cuidam do corpo tão ou mais conservado que o de uma jovem inconsequente como Clara. Os maridos também estavam lá, perdidos, um tanto tensos por terem a certeza de que tudo o que fizessem seria pouco para satisfazê-las. Elas precisavam de um amante viril e descerebrado como eu. Depois de cumprir a missão de perpetuar a espécie, elas agora queriam se divertir, e em qualquer outro lugar que não uma festa de criança.

A irmã de Clara veio ao nosso encontro em seguida. Ela também fazia parte do grupo das belas mulheres carentes de trinta. Parecia-se pouco com a irmã mais nova, a ponto de imaginar que a mãe das duas, hoje uma senhora distinta, possa ter dado uns passeios com algum Alberto Franco da época. A irmã trazia consigo, arrastado, o aniversariante, um pequeno garoto de cabelos lisos em formato de tigela — o típico pestinha.

— Dê um beijo na tia Clara, Mateus — ordenou a mãe.

Ele obedeceu com uma formalidade típica de quem deseja encurtar o ritual o máximo possível e voltar o quanto antes para as dezenas de brinquedos que o aguardavam no salão de festas. Aproveitou o embalo e também me deu um beijo no rosto, num gesto que compensou a má educação da tia e dos avós.

— Mãe, agora posso fazer escalada? — pediu após realizado o dever social de anfitrião.

— Espere seu pai que ele já o leva — ela disse.

— Como assim? — perguntei.

A irmã de Clara espantou-se com a palavra vinda da minha direção. Um pouco desconcertada, respondeu:

— O monitor da escalada está de salva-vidas na piscina de bolinhas. E a outra só dá conta de cuidar das crianças menores.

— Não tem problema, posso ficar de olho nele — eu me ofereci.

— Ora, por favor, não precisa... — ela disse enquanto Mateus pulava na minha direção e me puxava até o brinquedo. Ainda tive tempo de olhar para trás e ver os quatro nos encarando entre surpresos e apreensivos.

Uma parede de revestimento plástico com pouco mais de dois metros, repleta de pontos de apoio para as mãos e pés, estendia-se na parte de trás do salão. Meu trabalho na escalada consistia em prender as crianças em um cinto de segurança enquanto elas tentavam subir a parede. O cinto ficava preso a uma corda comandada por mim e ligada ao meu corpo. Desta forma, poderia ajudá-los a subir mais rápido (bastava puxá-los) ou impedir uma queda brusca caso um deles se desequilibrasse lá no alto. No chão, havia um colchão para amortecer uma queda caso o sistema de segurança ou o monitor falhasse.

Comandado pelo pequeno Mateus, um grupo de uns quinze pirralhos me cercou em frente ao brinquedo. Ele foi o primeiro a bancar o alpinista. Enquanto o sustentava no ar, dava um pequeno impulso para o alto com a corda. Com essa pequena ajuda, conseguiu chegar ao topo da parede. Precisou repetir a façanha para atender ao apelo do pai, que portava uma filmadora e perdera a primeira escalada, distraído capturando imagens de pessoas sem graça diante da câmera sem graça. Depois dele foram mais umas tantas crianças, que aos poucos foram se cansando do brinquedo, em busca de uma tarefa mais desafiadora.

O irrequieto Mateus teve então a ideia de pegar a bola de futebol que acabara de ganhar de um colega da escola para brincar na pequena quadra no anexo do salão. Convocou a mim e mais um seleto grupo de seis amigos, incluindo o que lhe dera o presente, para uma partida, quatro de cada lado. Para evitar injustiças, fui escalado para o gol no time do sobrinho de Clara — mesmo um perna de pau como eu seria considerado um craque se jogasse no meio dos pivetes.

Antes dos primeiros quinze minutos de jogo todos já estávamos sem camisa, impregnados de um suor sublime. Eu defendia com todo o esmero os chutes adversários, alguns com a força característica de crianças de cinco ou seis anos, outros que mais pareciam de jogadores profissionais, tal a precisão técnica do arremate. Arriscava ainda algumas saídas do gol, deixando a meta desguarnecida ao ataque inimigo, para desespero de meus companheiros de equipe.

O jogo chamou a atenção dos convidados, que se amontoaram nos limites da pequena quadra para torcer pelos filhos. O pai de Mateus e sua câmera também marcaram presença. Foi preciso simular um gol do filho, que não era muito bom de bola, para as lentes do documentário paterno. Algumas meninas tentaram invadir o campo, no que foram rechaçadas pelos jogadores com ameaças de pontapés e boladas. Clara também apareceu, porém ignorou-me quando lhe mandei um beijo, do gol. Para impressioná-la, aumentei o grau de complexidade das defesas e fingi dar instruções aos jogadores da minha equipe, forjando uma liderança. As únicas reações dela foram de impaciência e desaprovação. Foi embora pouco depois, não sei dizer com certeza, pois, no momento, minha equipe passava por uma forte pressão do time adversário, que acabou marcando um gol.

E como um verdadeiro apanhador na quadra de cimento (ah, os trocadilhos...), compreendi afinal por que o futebol, alheio a mim até então, despertava tanta paixão entre as multidões. Assim como esses garotos, exércitos de crianças também jogavam suas primeiras partidas, seja em salões de festas infantis grã-finos como aquele ou no meio da rua, na praia, em chão de terra batida, na escola... Por que todos não levavam a vida como nós disputávamos aquela partida de futebol? O esporte era redentor, ao menos do meu próprio caos.

Num misto de esgotamento e êxtase, aproveitei a ausência de Clara e pedi licença para me retirar logo depois do *Parabéns a você*. O aniversariante e seus amigos protestaram, e só me deixaram partir após a promessa de que voltaríamos a jogar em outras ocasiões. Pobre Clara, buscava uma companhia para a festa chata do sobrinho e terminou só. Sem querer — o que tornava o gesto ainda mais representativo —, conquistei uma pequena vingança pessoal contra ela. Graças ao pequeno Mateus, creio que ela passou a entender um pouco a mágoa pela qual me fez passar. Podíamos, então, encarar nossos próprios fantasmas de igual para igual.

10

A reaproximação com Clara foi interpretada por meus amigos como uma forma de anistia pelos crimes contra mim cometidos, de modo que pouco pude fazer para manter a soberania. Assim, a república logo retomou seu regime democrático com Nélio reempossado no cargo de déspota. A reverência dirigida a mim deu lugar a um não disfarçado desdém, e o saldo das minhas contas não demorou a voltar ao negativo. A única maneira de recuperar o respeito dentro de casa era arrumando algum dinheiro, o quanto antes.

Mais uma vez com a ajuda de Daniel, fui recebido por Tora em seu pequeno aquário na redação do *Jornal*. Meu nobre amigo demonstrou não só ter relevado meus gestos tresloucados e vingativos ao zombar do talento dele, como chegou a me agradecer por tê-lo feito "abrir os olhos".

— Desisti desse negócio de literatura. Meu negócio é falar mal dos outros.

— Isso você faz bem — tentei incentivar.

Foi dando o melhor de si que Daniel obteve um contrato para lançar uma espécie de coletânea de ensaios escritos no *Jornal*. Desse modo, finalmente realizou o desejo de publicar um livro.

— Melhor que estar condenado a me tornar mais um escritor frustrado — ele disse.

Engraçado. Quis perguntar a ele o que faz de um escritor um escritor frustrado: não conseguir escrever? Não ser publicado? Ser publicado e não fazer sucesso? Fazer sucesso e não o repetir num próximo livro? Ou pior, ser publicado e bem-sucedido enquanto tantos escritores frustrados, porém mais talentosos, não conseguem?

Sabe, quando comecei a lhe escrever não pensei em nada disso. Creio que jamais serei frustrado, ao menos no campo literário, porque escrevo sem nenhuma expectativa a não ser a de que você leia. E se você chegou até aqui significa que eu não sou um escritor frustrado. Você poderia até parar agora só para me contrariar, mas sei que não é do tipo que larga um livro assim, pela metade e sem saber o que acontece no fim. Oh, sim, você agora deve ter se lembrado de que eu sou do tipo que fica sozinho no final...

Pois bem, naquele momento eu trocaria qualquer final feliz por um emprego. Mas Tora não estava nem um pouco interessado nos meus dramas. Se estava disposto a ouvir minha súplica era porque não só tinha um emprego a oferecer como sabia que eu me foderia muito nesse trabalho. Negociar com ele era como vender a alma ao diabo e aceitar o pagamento com cheque pré-datado.

— Franco, você escreve bem, mas só isso não faz de você um jornalista — ele disse.

— Pois então, deve existir algo que eu possa fazer no *Jornal*. Nada ligado a esportes, eu sei.

— Não seja ingrato, você hoje é uma lenda nas redações graças àquele seu texto sem pé nem cabeça. Mas, vamos lá, no que mais você é bom?

Olhei para ele compenetrado, atrás de uma resposta convincente. Incrível, eu não sabia nada sobre nada! Nem mesmo meus conhecimentos inúteis de cinema seriam suficientes para me rotular como um especialista.

— Eu preciso do emprego, Tora — falei, convicto. — Tenho certeza de que posso lidar com qualquer assunto.

Depois de fazer certo suspense, ele soltou um grande *ok*, magnânimo.

— Você me convenceu, ou comoveu, sei lá. Temos uma vaga na reportagem. E não se preocupe, você só precisa ter estômago para encarar essa.

Quando falou em estômago, imaginei que estivesse se referindo às situações fortes com as quais teria de lidar: mortes, crimes bárbaros, pobreza, doenças. Mas nada do que veria na profissão seria pior do que encarar Miriam Saboia, a editora. A mulher — para todos os efeitos a qualificaremos como tal — era conhecida nos meios jornalísticos por destruir carreiras de inúmeros profissionais promissores, conforme descobri mais tarde. Ela teria sido responsável por vários casos de infarto, câncer e até um de impotência — esse jamais comprovado. A repórter a quem substituí havia acabado de deixar o *Jornal* para se trancar em um convento após três semanas de convivência com a chefa.

Ela não me pareceu tão ruim à primeira vista. Deixou claro desde o primeiro momento que havia um volume de trabalho bem maior que de jornalistas disponíveis para executá-lo. Por isso a cobrança. Não era uma questão de justiça, mas de necessidade. As palavras dela ainda circulavam na minha cabeça ao final do primeiro dia de doze horas de trabalho e seis matérias escritas.

Tudo bem, após uma temporada afastado para cuidar de projetos pessoais, Alberto Franco estava de volta ao jornalismo, dessa vez como repórter de rua. Ao que parecia, o roteirista se desencantara mais uma vez com o cinema depois da última incursão. O texto adaptado por ele de um livro obscuro, e por isso mesmo candidato a *cult*, não avançara das etapas de sonorização e montagem e seguia sem previsão de estreia em circuito comercial.

Clara Bernardes também parecia cansada de tentar a sorte no cinema. Ela agora fazia parte de um grupo de teatro alternativo, que realizava adaptações livres de passagens da Bíblia. Fui assistir a um dos ensaios para a peça *Sodorra e Gomoma* a convite dela. Sentei-me na primeira fila, ao lado de Edemar Solano, diretor e dramaturgo da trupe. Foi ele quem tomou a iniciativa de me chamar para perto ao me ver no fundo do pequeno auditório de arena, em pé, escondido.

— Veja só, você é Alberto Franco, o roteirista? Clarinha me falou de você — perguntou com a voz doce e a mão estendida na minha direção, com a munheca caída para baixo.

— É, mas eu não sou *gay*, tá legal? — defendi-me.

Ele deu uma risada estridente, a ponto de chamar a atenção dos atores, que o acompanharam nas gargalhadas.

— Relaxe, ninguém vai comer você aqui, não. A não ser que você queira — disse ele colocando a mão nos meus ombros, para me provocar.

— Desculpe, não foi minha intenção. É que eu não gosto muito desse negócio de teatro.

— Você daria para um bom ator, Albert. E não estou só fazendo um trocadilho bobo.

— Obrigado... Mas, do que trata a peça? — mudei de assunto.

— Você deve estar de brincadeira! Vai me dizer que ainda espera alguma história quando vai ao teatro?

— Na verdade, eu nunca vou ao teatro.

— Pois bem, queridão. Aqui está o *script* — ele disse antes de jogar nas minhas mãos um exemplar da Bíblia com um rascunho de roteiro dentro.

Os atores, que acompanhavam a conversa do palco, achavam graça do meu jeito estranho e da homofobia desastrada. Começaram a se referir a mim como "Albert", da mesma maneira idiota e afeminada do diretor. Pelo que pude acompanhar do ensaio, o texto trazia uma suposta mensagem contra a intolerância. Digo suposta porque a intenção principal, creio, era apenas chocar. Havia mais ação em si do que falas, os atores todos nus uns sobre os outros, recitando trechos de autores variados, das cartas de São Paulo aos coríntios a *Demasiado humano*, de Nietzsche. Pelos planos de Solano, a plateia seria convidada a participar da apresentação atirando qualquer objeto na direção dos atores, de pedras a alimentos perecíveis.

Se houvesse uma estatística dos meus encontros com Clara, uma das conclusões mais interessantes seria a de que na maior parte do tempo ela estava nua. Depois dos ensaios, que aconteciam tarde da noite, demorava pouco até estarmos mais uma vez sem roupa, sobre a cama redonda de algum motel de terceira. Da primeira vez, aproveitei para conferir mais de perto o resultado da intervenção cirúrgica que lhe aumentou o volume dos seios. Estavam não somente maiores, como também mais alinhados. Tanta precisão parecia artificial aos meus olhos. De algum modo, eles se tornaram corpos estranhos ao de Clara, dissonantes da harmonia imperfeita das curvas dela. Ela insistia para que eu os tocasse, mordesse e testasse a resistência do material, mas depois da curiosidade inicial acabei deixando-os de lado.

No conjunto, nossas noites de amor eram pouco inspiradas. Ela parecia ter a cabeça longe de onde estávamos, como quase sempre. A impessoalidade do quarto, com vários botões ao lado da cama que mais lembrava uma cabine de avião, o conforto dos lençóis e dos espelhos posicionados em locais de onde podíamos nos ver enquanto fazíamos sexo contribuíam para a atmosfera pesada. Despedíamo-nos quase sem dizer nada, até o dia em que decidi quebrar o gelo.

— O que há com você? — perguntei.

— Não me culpe se você não me faz subir pelas paredes — respondeu, atravessada.

— Eu conheço você. Se meu desempenho não houvesse sido bom, você teria reclamado na hora — devolvi.

— Tem razão, você me conhece como ninguém. Não é mesmo, Albert?

— Ora, não me confunda com aqueles seus amigos veados do teatro — reclamei.

— Eu também o conheço bem. Vou começar a chamá-lo de Albert só para provocar — riu.

— Como queira, desde que seu humor melhore. O que você tem, então? — insisti.

— Melhor não falar, você não entenderia.

— Posso até parecer, mas não sou idiota.

— Então, não preciso dizer nada, está na cara.

— Você está... gostando de alguém? — arrisquei após um tempo em silêncio, mirando os corpos pelo espelho do teto.

Ela confirmou com a cabeça, olhando para mim também através do reflexo.

— Quem é ele? — questionei.

— Com certeza não é você — respondeu enfática e, ao mesmo tempo, complacente.

— Você acha que me importo com isso? Eu devia lhe agradecer.

— Como você mente mal! Está na cara que você ainda é louco por mim.

— Quem veio me procurar foi você, não eu — aleguei.

— Fran, você é como um irmão para mim.

— Isso seria incesto.

— Exato, é isso que quero dizer. Eu não posso me envolver com meu próprio irmão, posso?

— Nem fazer sexo.

— Também não precisamos ser assim tão conservadores... — respondeu com um doce ar de malandragem que me cortava o coração ao mesmo tempo que o cicatrizava.

— Posso saber quem é o felizardo, então? — perguntei.

— Você pode até conhecê-lo, se quiser.

— Agora?

— Se não sairmos neste instante, teremos de esperar mais duas horas — ela disse depois de consultar o aparelho celular que mostrava as horas.

Do motel, ela nos levou ao cinema do *shopping center* mais próximo e comprou ingressos para a primeira sessão do dia. Fiquei sem entender quando percebi que se tratava de uma comédia infantil tola dublada em português sobre um cachorro falante, que se perde do dono e é alvejado por bandidos que pretendem transformá-lo em atração de circo. Peguei nas mãos dela, que suavam frio de ansiedade enquanto surgiam os primeiros créditos. No primeiro latido falado do cão, soltou um gemido de prazer que chamou a atenção de toda a sala.

— O que é isso? — perguntei, envergonhado.

— É ele... é ele... — repetia quase sem forças, atirada em meus braços.

— Você é louca? — protestei em voz baixa. — Tendo orgasmos com um cachorro? E de desenho animado?

— Não é o desenho — completou parcialmente refeita. — É a voz dele...

— O latido?

— NÃO, NÃO, NÃO! É A VOZ DO DUBLADOR — gritou.

A essa hora, as vozes de protesto contra nosso comportamento, julgado lascivo pelos demais presentes, muitos deles com seus filhos, multiplicaram-se e culminaram na chegada de um funcionário do cinema, que nos convidou a deixar a sala, do contrário seríamos acusados de atentado barulhento ao pudor.

Clara, então, estava apaixonada por um dublador. Pior, pela voz de um dublador, já que não o conhecia pessoalmente. Seria fácil encontrá-lo, bastava consultar os registros da empresa responsável pela dublagem do filme. Antes disso, ela preferiu levantar a ficha de todos os trabalhos que realizara — filmes, comerciais, novelas — e passou a assisti-los compulsivamente. Chamava-se Jorge Gentil, contou-me.

— Essa voz, tenho certeza de que ouvi antes, e não foi em nenhum filme — ela falou enquanto tomávamos um café ao lado do cinema.

— Não foi em nenhuma vida passada? — brinquei.

— Quem sabe? Pergunte à sua amiga vidente.

— Eu quase posso jurar que senti uma leve pitada de ciúmes na sua fala.

— Quem me dera eu estivesse apaixonada por você, Fran. Tudo seria muito mais fácil.

— Está enganada. Você já teve sua chance comigo. Agora somos apenas bons amigos, se tanto.

— O seu jeito de falar diz o contrário. Você não sabe mentir.

— Tem razão. Essa é a diferença entre nós: você sabe mentir e eu não.

— Puxa, Fran! Você sabe como ser cruel — respondeu em um tom que quase me comoveu.

Para dizer a verdade, não só me comoveu como me convenceu a ajudá-la a se aproximar do dublador. Eu sabia que se tratava de mais uma das loucuras dela e ela sabia que eu pensava assim. E nesse jogo íamos nos desafiando para, quem sabe, encontrar uma maneira de tolerarmos um ao outro. Clara também tinha noção das minhas expectativas, e talvez de forma intencional, alimentava esse meu desejo exacerbando paixões paralelas. Quanto mais se forçava mesquinha e calculista, mais e mais eu sentia atraído.

E ela sabia. De algum modo que eu ainda desconhecia, ela sempre sabia de tudo.

11

Gentil nos aguardava em um café simpático que ficava na parte térrea de um grande prédio comercial. Para todos os efeitos, éramos dois jovens interessados no trabalho de dublagem. Clara desejava conhecê-lo a todo custo, e cooptou-me como cúmplice porque não tinha coragem de abordá-lo sozinha. Engraçado, ela não demonstrou a mesma timidez no nosso primeiro encontro. Para mim, não era nada fácil fazer parte da trama. Deixar transparecer qualquer resquício de ciúme seria mais doloroso, embora a conivência também pudesse ser interpretada como prova do meu amor incondicional na mente doentia dela.

A imagem do homem que surgiu solitário entre as mesas naquela manhã não me pareceu muito diferente da do cachorro do desenho animado dublado por ele. Gentil era tão grande ou maior que o São Bernardo ao qual emprestara a voz. Vestia uma camisa listrada de manga curta, que lhe apertava a barriga, e usava os cabelos grisalhos penteados para trás de forma impecável, o cheiro da brilhantina mesclava-se ao da loção pós-barba vagabunda que exalava do rosto. A modéstia me impede de tecer mais comentários, mas posso dizer que a comparação entre nós me era amplamente favorável.

— Tem certeza de que quer fazer isso? — perguntei baixinho. — Ainda dá tempo de darmos meia-volta e fugirmos.

— Ele é um pouco... diferente fisicamente do que eu imaginava.

— Ele é um velho, Clara.

— E você é um idiota — disse alto, a ponto de chamar a atenção de Gentil, que ainda não havia se dado conta da nossa presença.

Sentamos os três na pequena mesa do café. A proximidade amplificava os diversos odores que escapavam dele e empestavam o ambiente. Eu apenas fingia acompanhar a conversa, disperso e mais preocupado em saber se Clara teria ou não a ousadia de ir para a cama com ele. Tinha certeza de que seria capaz de fazê-lo se soubesse que o gesto me afetaria. Ela parecia vidrada na voz dele, mas sem o mesmo encanto de antes. Ambos parecíamos mais preocupados com a reação um do outro do que com nosso interlocutor. Eu poderia vencer aquela parada se Gentil não tivesse as palavras certas, no momento certo e, pior, no timbre certo:

— Espere um pouco. Sua voz não me é estranha — ele disse na direção de Clara. — Você também é dubladora!

Em uma fração de segundos, ou menos, os cantos dos lábios dela deixaram o estado de repouso e se afastaram em direções opostas. Ao mesmo tempo, os dentes alvos surgiram por trás deles e iluminaram todo o ambiente. Não era possível. Seria preciso tão pouco para conquistá-la?

— Gentil, você me conquistou — ela disse, roubando a resposta dos meus pensamentos.

— Por favor, me chame apenas de Jorge. Gentil, para mim, é uma qualidade, não um nome.

Tudo que ela necessitava era um álibi para se entregar, e o galanteio foi ao mesmo tempo esperto e bem aplicado. Em seguida, os dois deram início a uma longa conversa sobre dublagem, os trabalhos que fizeram, as gafes cometidas e outros pormenores que não consegui acompanhar. Antes de cair, lutei muito, intercalando grandes goles das seis xícaras de café que tomei com comentários ácidos e piadas sem graça, seguidos de sorrisos forçados e melancólicos dos dois. Ela era uma excelente atriz, mas não sabia interpretar uma pessoa feliz.

Ciente de que nada mais havia a fazer, decidi bater em retirada antes que a aniquilação fosse completa. Ela decidiu não me acompanhar, e como para me castigar, despediu-se com um beijo no rosto. Senti a saliva quente secar entre os pelos de minha barba por fazer durante o tempo em que fiquei parado à porta do café, aguardando por um pedido de socorro, um novo aceno para entrar ou uma simples mudança nos planos dela. Desci as ruas devagar, na esperança de ser alcançado, até chegar ao prédio da redação do *Jornal*. Guardava dentro de mim uma pequena esperança de ouvi-la gritar meu nome, seguindo-me correndo, quase sem fôlego, com o pequeno rosto rubro de cansaço. Seria uma bela cena, não? Eu sei, pouco plausível para alguém como Clara. Não seria de todo improvável, porém, escutar uma buzina atrás de mim, com ela me convidando a entrar e dizendo que tudo não passava de uma armação tramada por ela e Gentil a fim de provar que eu ainda a amava.

Mas eu não a amava, o que eu sentia era ódio. E não havia outra maneira de descarregar aquela emoção senão marretando o teclado do computador com violência. No fim de semana, a redação vazia — não fossem os repórteres de esportes que gostavam de me cumprimentar de modo jocoso — ecoava o sofrimento das teclas; gotas de suor me escapavam dos dedos e da fronte enquanto realizava a tarefa. De alguma forma, as palavras foram tomando corpo, que ao final ficou parecido com o de uma legítima reportagem. Nada de notícias sobre índices de inflação ou a trajetória do dólar, que escrevia como quem aperta parafusos. O que eu tinha em mãos era um enorme e não autorizado perfil biográfico de uma jovem atriz e dubladora de filmes B, protagonista de um filme de baixo orçamento e sem data prevista de estreia, agora integrante de uma trupe teatral de hedonistas mambembes. O texto, de certa forma, era redentor para Clara, filha de família rica que não se acomodou no berço esplêndido e partiu por conta própria — exceto pelo carro do ano que papai lhe deu — em busca da vocação de dar vida a personagens que só existem em textos como aquele que o missivista (da reportagem) acabara de conceber.

— Você tem certeza de que quer publicar isso? — questionou-me Daniel quando lhe mostrei o texto. Recém-promovido a editor do caderno *NADA*, um suplemento cultural no qual se publicavam as reportagens mais longas e chatas do *Jornal*, meu amigo leu as cinco páginas impressas com reações alternadas, nunca indiferentes.

— Está ruim? Imaginei que houvesse gostado.

— Franco, está extraordinário! Vou batalhar para publicar na edição do próximo domingo. Só não sei o que Clara vai pensar...

— Deixe Clara comigo, tá legal?

— Não que eu esteja preocupado. Você sabe, aquilo tudo é passado, não houve nenhuma espécie de envolvimento entre nós...

— Não precisa se explicar de novo. É melhor não se complicar.

Ele me deu razão. Até o texto ser publicado, recebi outros elogios de repórteres e editores que o leram antecipadamente, prestígio não compartilhado apenas por Miriam Saboia, que não gostou nada de ter um de seus repórteres desviados de função. Com receio de que estivesse subaproveitado, dobrou minha carga de trabalho, que passou para quase dezoito horas diárias. Comecei a ser recepcionado todas as manhãs com uma pilha de jornais dos concorrentes, grifados com caneta vermelha nas matérias que eu deveria me aprofundar e/ou sobre as quais deveria trazer alguma novidade bombástica. Não era uma perseguição pessoal, cada repórter tinha uma coleção própria de marcas vermelhas com que se preocupar. Entre assuntos novos e acumulados dos dias anteriores, meu débito com Miriam chegava a catorze matérias no final da semana. Se fosse capaz de cumprir diariamente a demanda, conseguiria escrever sozinho pelo menos dez páginas do *Jornal.* Mesmo que as matérias não fossem publicadas, ela alertava para a necessidade de estarmos à frente dos inimigos (a maneira como se referia aos concorrentes).

Os textos das reportagens que escrevera durante a semana ainda me perseguiam em sonhos intranquilos quando fui despertado na manhã do domingo seguinte, pouco antes das oito da manhã. Renato bateu à porta com força usando o telefone, o que provocou protestos de Nélio, proprietário do aparelho, acordado em seu quarto. Às vezes eu tinha a impressão de que ele jamais dormia. Renato, que, ao contrário, dormia pelo menos dezesseis horas diárias, mostrava irritação por ter seu período de hibernação no sofá da sala interrompido pelo toque insistente.

Eu imaginava que a recepção dela ao texto não seria das melhores, mas a reação desproporcional chegou a me assustar:

— EU VOU MATAR VOCÊ, EU VOU MATAR VOCÊ! — ameaçou assim que escutou minha voz mal amanhecida.

— Calma, Clara! Se você se acalmar, eu posso explicar...

— Seu filho de uma puta, você acha que me conhece, mas não sabe do que sou capaz!

— Calma, por favor! — insisti. — Ficar desse jeito não vai adiantar nada, o texto tem várias interpretações, e se você ler nas entrelinhas...

— Acho melhor pensar no que vai pôr nas entrelinhas da sua lápide, porque eu vou matar você — repetiu, transtornada.

Vamos aos fatos: com base na cólera de Clara, você deve imaginar que escrevi o texto motivado por um desejo de vingança pessoal. Pois saiba que isso não só não é verdade, como sou capaz de manter a defesa de minha obra jornalística, uma reprodução fiel da realidade, dolorosa para alguns (no caso, Clara), mas nem por isso menos verdade. Alguns detalhes, como o voraz apetite sexual da protagonista da reportagem e sua preferência por homens com o órgão sexual avantajado poderiam ser omitidos, porém, considerei que o leitor não gostaria de ser privado de uma faceta interessante da personagem. De forma intencional ou não, eu não conseguia esconder uma ligeira satisfação por ter mexido com os brios dela.

— Você nem sequer leu o texto — parti para o ataque.

— Não? Vou repetir apenas alguns dos belos adjetivos que você usou: lasciva, alienada, opulenta, ardilosa...

— Eu me referia a suas qualidades como atriz — defendi a mim mesmo.

— Considere-se um homem morto, Alberto Franco! — resumiu antes de desligar o telefone com veemência, conforme pude supor pelo ruído da linha, que se assemelhava ao som de um objeto se espatifando contra o chão.

12

É claro que não dei crédito às ameaças de Clara. Você a conhece tão bem quanto eu, e sabe que ela não é do tipo que aceita ser contrariada. Em todo caso, passei a tomar algumas precauções, como pedir para alguém provar a comida antes de mim e sempre tomar banho de chinelos. Por isso, ao ouvir do quarto a movimentação intensa na porta de casa, minha primeira reação foi de completo desespero. Não se tratava de um esquadrão da morte, como julguei prematuramente, mas não se diferenciava muito. Com a porta trancada e assustado, apenas escutei a invasão dos policiais ao quarto de Nélio. De posse de dois mandados judiciais, um de prisão preventiva e outro de busca e apreensão, levaram uma penca de computadores com eles. Meu amigo, porém, conseguira escapar durante a madrugada, como soube quando abriram caminho para dentro do meu território na república e me questionaram, com veemência, sobre o paradeiro dele.

Logo após a saída dos tiras me dirigi até a sala, ainda trêmulo, até me deparar com Renato imóvel no sofá, em estado de choque. Ao redor dele, o apartamento revirado, com centenas de cartões de crédito espalhados pelo chão, numa trilha que tinha início no quarto de Nélio. Ora, não precisava ser nenhum gênio da indução para desconfiar que meu colega de república desenvolvia atividades ilícitas, mas só me dei conta da gravidade do caso ao receber uma ligação do *Jornal*.

— Bom-dia, esse telefone é da casa de Nélio Cenize? — perguntou o repórter, cuja voz reconheci como sendo a de Pablo Piña, o repórter policial.

— Fala, Pablo, aqui é o Franco.

— Mas que diabos! — reclamou. — Como você descobriu o cara? Minhas fontes me garantiram que eu era o primeiro...

— Você foi o primeiro — tranquilizei-o. — Eu moro com ele, quer dizer, divido o apartamento.

— Dividia, porque ele não sai da faculdade nem com um bom bota-fora — previu Pablo, que depois de tantos anos no meio de bandidos e policiais absorveu boa parte do conhecimento e das gírias da área.

— Ele não foi preso, fugiu sei lá como de madrugada — informei.

Nossa conversa se transformou em uma pequena entrevista, na qual contei o que sabia sobre meu amigo, que se resumia ao que escrevi sobre ele até aqui. Coloquei Renato na linha, mas ele permanecia nervoso demais para dar qualquer informação adicional. Imaginei que também não tivesse muito mais para contar.

Incomodado pelo barulho e alheio ao que se passava, Daniel acordou em seguida, com os olhos fundos e os cabelos amassados para o alto.

— Tudo bem? — perguntou, ouvindo a resposta no estridente choro de Renato, em um gesto mais adequado a uma criança de não mais que cinco anos.

Ao ouvir de mim que Nélio era um foragido da Justiça, acusado de ser um dos maiores criminosos de computador do país, ele, sonolento, fez uma cara de descrença, para logo depois, ao se dar conta do clima pesado a seu redor, afastar-se, de costas, com passos para trás, de volta na direção do quarto, onde se trancou e não mais saiu, como o próprio Nélio reagiria em situação semelhante.

Depois de servir para Renato um copo d'água e dois comprimidos de um calmante tarja preta que mantínhamos na dispensa para ocasiões de emergência, deixei-o dormindo na minha cama e parti em direção à delegacia em busca de mais informações sobre meu amigo. Com Pablo, o repórter policial, obtive a informação de que o caso era tratado pelos federais.

Peguei um táxi da frota que mantinha convênio com o *Jornal* e pendurei a conta — afinal, ser escravo particular de Miriam Saboia tinha de me servir para algo. Na porta, uma multidão de repórteres — entre eles Pablo — se aglomerava ao redor de um policial, que parecia ler um papel, no qual se referia a Nélio como "elemento". Ao que parece, meu amigo roubava senhas de clientes de bancos e transferia o dinheiro para contas de laranjas. Ele também realizava fraudes com cartões de crédito e era o responsável pela criação de páginas de pornografia infantil na internet, segundo o porta-voz. Estimava-se que o total desviado por meu amigo e sua quadrilha superava com folga a casa dos milhões, nem a polícia tinha um cálculo preciso do valor. O homem do papel voltou para dentro sem responder às perguntas e emputeceu os jornalistas. Pablo, em especial, pareceu mais tenso que os outros. Ao me ver, correu em minha direção e cochichou algo como "não fale com ninguém ou você morre".

Assustado, mas também conhecedor da ira de um repórter em busca de furo, saí dali o quanto antes. No caminho para o *Jornal*, recebi uma ligação de Daniel no celular (que o *Jornal* deixava com seus repórteres e deveria ser usado exclusivamente para trabalho). Acabara de bater à porta de casa um oficial de justiça com intimações para nós três nos apresentarmos para depor, relatou. Disse também que tirou o telefone do gancho, pois não parava de tocar (ele também me ligava do celular cedido pelo *Jornal*). Orientei-o a não falar com ninguém, muito menos com jornalistas, e contei a ele sobre a ameaça de Pablo, que na certa também se estendia a ele, embora talvez nem soubesse que Daniel e eu morávamos juntos, ou melhor, dividíamos o mesmo apartamento.

Na redação, ninguém perdeu a oportunidade de me zombar por não ter percebido que sob o meu teto residia a notícia do ano. Não adiantava argumentar que Daniel também não se dera conta de que abrigávamos um criminoso. Miriam também estava insatisfeita, não com minha falta de faro jornalístico, mas com a perda de quase um dia de trabalho. De pouco adiantou a justificativa da visita policial e a tentativa de conseguir mais informações sobre o caso. Em minha mesa, pilhas de jornais se amontoavam com reportagens dos concorrentes que eu deveria ter escrito antes.

Absorto em correr atrás de matérias que não seriam publicadas, ou, se o fossem, teriam pouco ou nenhum destaque diante da história do famoso *hacker* descoberto pela polícia, apenas para o prazer de minha editora, nada pude fazer por Nélio.

Foi só na hora do jornal da noite na tevê, quando a redação parava os afazeres para saber que tipo de notícias as pessoas comentariam no dia seguinte — e se tínhamos algo semelhante a oferecer em nossas páginas — que voltei a pensar em meu companheiro de república. Denunciado, não demorou a ser capturado a caminho da choupana no litoral, onde era aguardado por uma pequena legião de tiras. Estremecido pelos acontecimentos, tardei um pouco a reconhecer a figura que concentrava as entrevistas durante o noticiário da noite que passava em um dos aparelhos de tevê ligados na redação. Com lágrimas nos olhos e um aspecto desconsolado, todos os microfones e câmeras plantados em frente à delegacia onde Nélio estava preso apontavam para Clara, como uma estrela enfim reconhecida.

— O que ela está fazendo aí? — perguntei para mim mesmo, em voz alta, num misto de perplexidade e encantamento. Parecia ainda mais bela na tela, o *close* no rosto destacava a suavidade dos contornos e o brilho enevoado dos olhos.

— É a namorada do *nerd* ladrão — disse alguém que também acompanhava o noticiário.

— Quem mandou confiar em mulher? — filosofou outro.

— Não, gente! Essa aí é a Clara Bernardes, não se lembram dela na minha reportagem?

— Você agora conhece todo mundo, Franco? Pois a sua reportagem não foi nada perto da fama que ela ganhou depois de entregar o esconderijo do *hacker* — disse Pablo Piña por trás de mim.

— É o segundo grande furo que você perde em um dia — disse Miriam. — Que espécie de jornalista é você, Franco?

As imagens na tevê com a figura grande e desajeitada de Nélio, tentando em vão esconder a cabeça encostando o queixo no peito enquanto era levado pelos tiras sob um mar de *flashes* e microfones, não me davam nenhuma resposta. Eu não sabia que espécie de jornalista nem de ser humano eu era. Pois um ser humano capaz de nutrir qualquer sentimento por alguém como Clara Bernardes não inspirava a mínima confiança.

Deixei a redação e fui atraído pelo boteco mequetrefe que ficava na esquina mais próxima. A noite estava quente, e tudo que eu desejava era replicar o calor externo em minhas entranhas. O homem atrás do balcão me olhou esquisito quando lhe pedi uma dose de uísque. Talvez fosse melhor me contentar com cerveja ou cachaça, como os demais fregueses. Depois de um tempo, ele voltou com uma garrafa de uma marca nacional, que me dava dor de cabeça só de olhar.

Eu devia estar na terceira ou quarta dose quando o telefone tocou:

— Um dos seus melhores amigos é preso e você não vai nem ao menos visitá-lo? — Era a voz de Clara.

— Pelo menos eu não o denunciei em rede nacional, sua... traidora! — falei, empolado pela bebida.

A discussão chamou a atenção dos fregueses do bar, que desviaram a atenção da partida de futebol para me ouvir.

— Você é patético!

— Agora você é uma estrela. E chegou lá no melhor estilo Clara Bernardes, passando os outros para trás.

— Pense o que quiser. A verdade é que Nélio está encrencado numa cela de cadeia e precisa dos amigos nessas horas.

— Ele só está lá por sua causa.

— Fran, o Nélio é um criminoso, e sabe disso. Quanto tempo você acha que a polícia ia demorar até encontrá-lo por conta própria? A rede social mafiosa tem muitos integrantes na polícia. Ainda tentei convencê-lo a se entregar antes de dar publicidade ao fato.

— Aonde você quer chegar?

— A lugar algum, e muito menos Nélio, ainda mais agora. Só liguei para dizer que ele mandou um abraço. Espero que o recado esteja dado — falou desligando em seguida sem se despedir nem me dar tempo para justificar a ausência ou perguntar como estava meu amigo.

***

A denúncia que possibilitou a prisão de Nélio Cenize, o *hacker* conhecido como "Morpheus" pelos pouco criativos criminosos, fez de Clara uma celebridade. Convidada a participar dos programas vespertinos de tevê, ela não se furtava a contar detalhes sobre o relacionamento com o bandido. Em algumas passagens particularmente constrangedoras, era óbvio que se referia a mim, e não ao meu amigo. Afinal, qual a possibilidade de alguém tão próximo também ter um fetiche sexual por bolinhas de sabão e patinhos de borracha?

Provavelmente pela exposição, mas quem sabe também um pouco em razão da minha reportagem, a estreia de *Sodorra e Gomoma* teve ingressos esgotados. A pedido de Clara, e antes de nos desentendermos, procurei melhorar o argumento da peça. Comprei uma edição da Bíblia e tratei de estudar o episódio da destruição das duas cidades, bem como de outras passagens mencionadas pelo dramaturgo no texto. Incluí diálogos, acrescentei um mínimo de elementos para compor um enredo e, com a ajuda de uma cansativa pesquisa na internet, corrigi as referências filosóficas.

Edemar Solano, o chefe da trupe, gostou do resultado e me pediu para acrescentar mais falas ao personagem de Clara — uma prostituta que seria engolida por uma bola de fogo cenográfica logo no início da destruição das cidades — depois da notoriedade alcançada por ela. Nem a colaboração, ou melhor, a composição quase que completa da peça fez meu nome ser incluído no cartaz ou no programa da peça.

Além de escritor, fiz as vezes de assessor de imprensa da trupe ao intermediar uma entrevista exclusiva de Daniel Provença, o crítico odiado e meu colega de república, com Edemar Solano. Atento ao noticiário, meu amigo esqueceu a montagem e acabou por fazer mais perguntas sobre a namorada do criminoso mais badalado do país. Em vez de desmascarar a farsa, ele a amplificou a tons épicos. A reportagem foi aclamada na redação, como tudo que Daniel faz. No jornalismo, aprendi que, uma vez conquistada uma reputação, não é necessário muito esforço para mantê-la, basta abusar do *marketing* pessoal e não fazer nenhuma grande besteira.

Como era de se esperar, uma enorme foto de Clara veio acompanhada do texto, publicado na capa do caderno cultural. Pendurei a página detrás da porta do armário do meu quarto. Coberta por uma túnica semitransparente, era possível identificar sem muita dificuldade os contornos do corpo da atriz alçada a protagonista. Eu queria estar bem perto quando a máscara caísse, e talvez por isso tenha me submetido aos caprichos dela e de Solano. Na noite da estreia, eu me ofereci para ficar na porta do teatro distribuindo os tomates e ovos podres providenciados pela produção para serem atirados nos atores. As pessoas não entendiam o gesto e algumas até se recusavam a receber o que o diretor chamava de "acessórios cênicos".

Como esperado, o auditório foi pequeno para comportar o público. Foi preciso incluir na programação do teatro mais duas apresentações semanais para tentar atender à demanda. Convidado a ficar na coxia com os atores e a equipe, preferi me acomodar no meio da plateia. Eu não suportava aquelas saudações, com todos desejando "merda" uns para os outros.

Clara e eu nos falávamos somente o essencial, ambos aborrecidos um com o outro. Uma tentativa de reaproximação entre nós feita pela equipe no dia da estreia foi logo interrompida quando os xingamentos mútuos começaram a atrair a atenção da audiência, que se recusava a entrar no teatro para assistir ao espetáculo improvisado na porta.

Meu humor piorou depois que avistei Jorge Gentil, acompanhado de uma mulher que descobri depois ser a esposa. Ao se dar conta da minha presença, ele veio ao meu encontro, triunfante.

— Você é um grande canalha, Gentil — falei dando início a uma nova discussão.

— Eu sei. Ser um canalha gentil é o meu charme — respondeu apresentando-me à mulher.

— Como pode enganar Clara desse jeito? — disse a ele, sem me importar com a presença da acompanhante.

— Por mais difícil que seja para você acreditar nisso, ela não é mais nenhuma criança. Você é quem devia mostrar um mínimo de dignidade — falou alto, com a voz característica amplificada pela acústica do teatro.

Eu devia ser motivo de piada entre os dois: o idiota e eterno apaixonado. Sem perceber, descontei a vontade de esganá-lo em um tomate, que começou a se desmanchar em minhas mãos.

O diálogo logo foi interrompido pela campainha que marcava o início da apresentação. Não me restou outra opção além de me sentar ao lado dele. Ignorando os avisos de silêncio, a todo momento Gentil me cutucava e chamava a atenção para os peitos de fora das atrizes e os pênis flácidos dos atores da peça. Foi inútil tentar socorro com a mulher dele. Ela alternava olhares para nós e para o palco sem esboçar reação, devia estar acostumada aos modos rudes do marido e até às fortuitas traições.

Eu sabia que manter os personagens nus durante o espetáculo não era boa ideia, para não dizer uma apelação sem propósito. Impossível foi convencer Solano disso. A nudez despertou a libido não só de Gentil, como de outros homens mais interessados no potencial erótico do que no talento artístico de Clara Bernardes.

Você bem pode imaginar, portanto, a reação da plateia quando ela surgiu pela primeira vez, coberta da cabeça aos pés pelo mesmo véu transparente usado nos ensaios. O urro dos animais só não me incomodou mais que os comentários sacanas de Gentil ao meu ouvido. Todos se comportavam como se estivessem em um rodeio ou em um estádio de futebol. Não, até um estádio de futebol parecia um local mais civilizado naquele momento. O esforço dos atores para encenar as falas era inútil. O barulho e a desordem que vinham do palco e faziam coro à audiência me fizeram perder a razão.

Foi quando atirei com todas as forças o vegetal apodrecido na direção do tablado, num gesto involuntário, quase mecânico. A trajetória do objeto vermelho foi rápida e certeira, mas na minha lembrança percorreu um longo caminho. Naquele tomate estava um pouco do que havia de melhor e pior em mim. E o alvo não poderia ter sido outro. Antes que tivesse a oportunidade de dizer a primeira fala, Clara Bernardes se viu atingida bem na face. Ainda teve tempo de olhar em minha direção, mas possivelmente sem reconhecer o algoz, escondido detrás da luz emanada pelos refletores. Os demais espectadores interpretaram o gesto como a senha para eles também jogarem seus ovos e demais artefatos sobre os atores. Alguns deles acertaram os indivíduos das fileiras de baixo, que se voltaram com fúria contra seus algozes. Logo, todos estavam sujos e revoltados demais para dar atenção a qualquer peça. Uma invasão às coxias e a destruição do teatro só foram contidas porque a polícia, a postos desde o início da apresentação, pediu reforços e conteve o que o *Jornal* do dia seguinte chamou de "tomatecina".

13

Eu teria que começar a me acostumar com o caos. Depois da destituição de Nélio do comando, a situação da república só piorou. Num clima anárquico que tende a suceder uma ditadura quase inercial, as contas foram as primeiras vítimas. Como estavam em débito bancário direto das contas do meu amigo preso, bloqueadas pela Justiça, em dois meses ficamos sem telefone e energia elétrica. O aluguel não teve melhor sorte, as faturas se acumulavam perto da porta junto com os folhetos de propaganda e outras cobranças das quais não conhecíamos a procedência. Aos poucos, começaram a servir para limpar a sujeira trazida pelos sapatos. Não que do lado de dentro a situação fosse muito melhor. Depois de duas semanas sem receber, a faxineira pressentiu o calote e partiu com alguns objetos da casa como parte do pagamento.

Tanto eu quanto Daniel podíamos muito bem arcar com metade das despesas cada um, pelo menos por um tempo, se tivéssemos um mínimo de espírito de companheirismo. Ao contrário, a intenção não declarada de ambos era ver quem resistiria por mais tempo, o perdedor assumiria o comando e as despesas da casa. Quem mais sofria com a situação era Renato. Sem a proteção e o dinheiro de Nélio, contava apenas com nossa generosidade, que se resumia a ocasionais restos de café da manhã.

Nada que o incomodasse, em especial após a liberação do inquérito policial que apurava as tramoias de Nélio. Ele foi considerado inocente dos favores prestados à organização criminosa. Durante nosso interrogatório, descobrimos que fomos investigados de perto. No começo a polícia imaginava que estávamos envolvidos no esquema.

O tempo passou e acabei não visitando meu amigo na prisão, uma detenção provisória dentro de uma carceragem onde aguardava o julgamento. Sentia-me envergonhado demais para aparecer na cadeia com um sorriso no rosto e uma expressão solidária. Nélio não me esperava mais e pensei que seria melhor me passar por amigo filho da puta do que cara de pau. Como atenuante, poderia mencionar a dura rotina no *Jornal*, onde o serviço se acumulava de forma insustentável, situação que piorava à medida que Miriam mandava meus colegas embora e não preenchia as vagas.

A artimanha de Clara para conseguir holofotes e virar a estrela do momento rendeu frutos inesperados, além dos tomates. Um deles foi a notícia de que o filme rodado por ela antes da fama obteve os recursos necessários para ser finalizado. A promessa era que a estreia acontecesse dentro de alguns meses. Quanto antes, melhor, a fim de não perder o interesse do público no caso Nélio Cenize. Quem me contou a última parte foi o ressurgido Doni Calçada ao me chamar para receber a parcela do dinheiro que me devia. A sala de espera era quase a mesma de um ano antes, exceto pela bela secretária, substituída por outra com menos atributos físicos, um sinal de que o produtor de fato passara por dificuldades.

Aguardei pouco mais de quinze minutos até Doni sair da sala acompanhado de outra pessoa, que eu presumia conhecer de outro lugar, mas não reconheci até sermos apresentados.

Foi a primeira vez que vi você pessoalmente.

Na verdade, sabia quem você era apenas por uma foto, que na comparação me pareceu um tanto antiga. Na minha imaginação, você devia se parecer mais fisicamente com o protagonista do filme. Apertamos as mãos sem força, de modo protocolar e em um esforço de leitura dinâmica para memorizarmos bem aquele momento (*corrija-me se eu estiver errado, por favor*). Doni relatou algo sobre você não querer se envolver no processo de filmagem e de ter ficado bastante satisfeito com o resultado do roteiro. Você apenas concordou com a cabeça, assim como eu, dando pouca importância ao que era dito.

Não havia como negar uma identificação mútua entre nós. Era uma pena que você estivesse de saída. Doni tinha pressa de se livrar dos credores, a fila devia ser grande. Nós nos despedimos com mais um aperto de mãos automático e prometemos uma conversa mais prolongada.

Doni levou-me à sala dele, onde assinou o cheque, radiante. Podia ver que se tratava de um cara bem-intencionado. Um cara que deseja viver de cinema, que mal há nisso? A ascensão meteórica de Clara Bernardes levou todos nós a reboque. Eu podia me ver dando entrevistas e assediado nos festivais, talvez até como ganhador de algum prêmio pelo roteiro adaptado. Ora, eu também era bem-intencionado e queria abandonar de uma vez a escravidão travestida de jornalismo. O cinema precisava de mais pessoas como Alberto Franco e Doni Calçada.

— Você tem ideia de quando o filme estreia? — perguntei.

— Pode ter certeza de que tenho mais pressa que você.

— E os novos projetos da produtora?

— Estamos com uma ideia nova de um projeto, mas nada firme ainda.

— Se precisar de um roteirista, é só chamar — convidei-me. — Colaborei em um texto para teatro chamado *Sodorra e Gomoma*.

— Eu estive na *tomatecina*, Franco. Não se preocupe, como me disse certa vez uma vidente, tudo está escrito — ele disse, num tom profético e encaminhando-me até a porta.

— Espere. Uma vidente me disse o mesmo. Foi Clara quem o levou até ela? — perguntei.

— Todos conhecem Carmem, de vidas passadas — respondeu uma voz atrás da porta, inconfundível, como num filme dublado.

Clara surgiu em seguida, plantada em pé na passagem para a sala de espera.

Nós nos encaramos por alguns segundos sem dizer nada. Talvez ela esperasse alguma réplica malcriada, como costumava acontecer. Mas, ao me surpreender refletido nos olhos dela outra vez, nada consegui fazer além de tomá-la nos braços com a força de quem está prestes a cair de um precipício. Depois de ensaiar uma reação, ela cedeu e levou os lábios ao meu encontro, num beijo longo e tranquilo.

Eu sentia uma falta imensa de vê-la, saber como estava de verdade, e não pelo que diziam as revistas. Ela agora exibia os cabelos alisados, uma imposição do *showbizz*, falou. A peça também ia bem após a mudança cênica, com a substituição dos tomates e ovos por bolinhas de papel coloridas. Em paralelo à temporada no teatro, trabalhava duro para ver o filme em exibição. Tanto que comandou a arrecadação de novos recursos e se autopromoveu a produtora executiva, ao lado de Doni. Em um sinal de independência, tratou de deixar a casa dos pais e alugou um pequeno apartamento.

Foi para lá que ela nos levou. Sentamos no sofá da sala agarrados e assistimos a vários filmes, entre taças de vinho e baseados. Clara tinha uma coleção de DVDs que ocupava toda uma estante, a maioria copiada da internet. Quando dei por mim, estávamos mais uma vez nus, com as paredes pintadas de vermelho por testemunha envolvendo os corpos. Entre o meu êxtase e a indiferença dela, fizemos amor como nos velhos tempos. E, como nos velhos tempos, apenas um de nós havia se divertido.

— Acho que não devemos mais insistir. Você não gosta de mim, nunca gostou — comentei deitado no carpete macio, dividindo o espaço com cinzas de cigarro e migalhas de comida, enquanto ela descansava no sofá.

— Não é uma questão de escolha — respondeu depois de um longo suspiro.

— Se fosse, você estaria com Gentil, não comigo.

— Não mesmo. Ele é uma pessoa muito difícil, você é muito melhor que ele, Fran.

— Qual o problema, então?

— Você é o cara por quem qualquer garota se apaixonaria: carinhoso, engraçado... Mas Jorge é... como posso dizer? O tipo de homem que senta no banco do motorista e sabe como dirigir, entende?

— Eu também posso aprender, e com um bom financiamento até comprar um carro usado — argumentei.

— Não, você nunca vai guiar como ele.

— Acho que nós não estamos mais falando de automóveis, não é mesmo?

— O assunto nunca foi esse. Você não sabe como sinto falta dele, da voz dele.

— Não há nada que eu possa fazer nesse sentido. Minha voz é horrível.

— Espere, acho que sei como consertar isso — ela disse com um sorriso libidinoso.

Depois de remexer a bolsa por alguns instantes, voltou-se para mim com o gravador nas mãos. Como fizera comigo na noite em que nos conhecemos, ela havia gravado vários momentos de

Gentil na intimidade: cantando no chuveiro, cortando as unhas dos pés, assistindo à tevê, gritando com Clara "tire essa porra de perto de mim" em várias entonações.

Em pouco tempo, puxou-me de volta para junto dela, enlouquecida, chamando-me pelo nome do rival. Não tive a ousadia de esclarecer a confusão, e no estado em que ela estava, de nada adiantaria. Concluí que seria melhor deixá-la realizar o *momentum* sexual à custa da voz de Gentil. Se quer saber, cheguei a gostar de fazer parte daquela perversa fantasia. Imaginava a voz dele vinda de um cômodo ao lado, sem saber o que se passava na cama, uma traição às avessas. Quantos aos gemidos enlouquecidos e alheios a mim, na hora pareceu-me o preço a ser pago por tê-la em meus braços. Ela gritava o nome dele, mas sabia que era Alberto Franco quem conduzia toda a ação até os mínimos detalhes e orgasmos múltiplos. Permaneceríamos ali até sermos flagrados por alguma câmera indiscreta, um *paparazzo* bem informado interessado em publicar uma foto da nova paixão de Clara Bernardes, na verdade um antigo amor, retomado de forma avassaladora — dos corredores da produtora onde se encontraram à sala cor de sangue do apartamento — como uma paixão violenta.

Os planos dela, no entanto, eram outros, como sempre. Enquanto eu adormecia, ela passou do chuveiro às roupas e preparava-se para me deixar sozinho quando despertei.

— Não tive coragem de acordá-lo — ela disse antes que eu pudesse contestar a fuga.

— Para que tanta pressa? — perguntei, zonzo e com gosto de sono na boca.

— Vou visitar o Nélio, já estou atrasada.

— Você não precisa mais sustentar a farsa, agora que é famosa.

— Acha mesmo que eu só queria aparecer na tevê? Desde o começo eu só pensava no Nélio, ao contrário de você, que nem deu as caras na cadeia.

— Quando você descobriu que ele era um *hacker*?

— Logo no primeiro dia na república me toquei de que havia algo errado.

— E ele sabia que você sabia? — tentei acompanhar, confuso.

— Foi assim que ele ficou na minha mão. Mas foi por uma boa causa. Eu só queria fumar no apartamento sem ser incomodada.

— Daí ele a seduziu — presumi.

— Será que você não aprende? Ninguém me seduz, Fran. Dos seus amigos, o Nélio foi o único que tentou ser leal a você.

— Leal? Ele não sabe o significado dessa palavra.

Não se tratava de uma conversa agradável, eu fazia de tudo para tentar apagar a traição de Clara e meus amigos da cabeça. A prisão de Nélio me parecia, lá no fundo, um castigo por ele ter se aproximado dela. Não desejava vingança, embora imaginasse que o destino se encarregaria naturalmente desse trabalho por mim.

— E você não sabe o que diz. Nélio podia ter entregado você, mas aguentou tudo sozinho.

— Ora, eu não tenho nada a ver com os crimes dele!

— Tem certeza? Não foi o que Carmem me disse.

— A vidente? O que aquela louca falou?

— Que você seria capaz de fazer qualquer coisa para ficar comigo.

— Se a vidente disse isso mesmo é mais uma prova de que ela não passa de uma charlatã. Além do mais, o que isso tem a ver com a prisão de Nélio?

— Você é quem devia responder. A revelação é pessoal. Cada um vê o que precisa ser visto e sente o que precisa ser sentido...

— Eu já conheço essa conversa. E pode ter certeza de que não tenho nada a ver com os crimes do Nélio.

— Se está tão certo disso, por que não vamos agora visitá-lo?

Concordei em acompanhá-la para a acareação, somente para provar que não guardava nenhum rancor de Nélio pelo incidente passado, e na espera de que ele também não estivesse chateado comigo.

— Pode deixar que eu dirijo — falei ao chegarmos ao estacionamento.

— Você? — ela riu.

— Qual o problema, acha que não consigo?

— Vá em frente, garanhão — desafiou entregando-me a chave.

Não devia ser tão difícil. Qualquer um podia guiar um carro, bastava um mínimo de coordenação motora, não muito diferente de andar de bicicleta, eu imaginava. Ao perceber minha indecisão, Clara se prontificou e rodou a chave, despertando o motor do carro. Quem me ensinou a teoria foi um dos motoristas do *Jornal*: pisar no pedal da embreagem, engatar a primeira marcha em algum lugar no canto superior esquerdo do câmbio, depois acelerar e comandar o veículo com o uso de todos aqueles acessórios que se perdiam do meu alcance, por todos os lados.

Concentração, esse era o segredo. Eu respirava fundo e enxergava todo o trajeto que precisaríamos percorrer, os outros carros, motos, caminhões, pedestres, as placas... Por mais que me esforçasse, não conseguia domar o nervosismo. Durante alguns instantes, imaginei que devia haver algum problema mecânico, de repente tudo começou a tremer ao meu redor. Apenas quando Clara me empurrou para o banco ao lado é que percebi que o carro havia muito estava desligado. Quem não parava de tremer era eu.

— Vamos lá, não posso chegar atrasada — ela disse num misto de irritação e complacência.

A caminho da prisão, liguei o celular do *Jornal*, uma má ideia, pois fatalmente seria localizado em pleno dia de folga, o primeiro depois de dezenove dias de trabalho sem descanso. O visor marcava onze chamadas não atendidas, todas procedentes do mesmo número, além de várias mensagens na caixa postal, um desespero incomum até para alguém como minha editora.

— Acho melhor ver o que ela quer — comentei.

— Tudo bem, pode ligar.

— Não, preciso dar uma passada na redação. Um número maior que três chamadas no celular significa uma convocação para Miriam Saboia.

— Não faça isso, Fran — advertiu Clara.

— Preciso saber o que houve, pode ser uma bobagem.

— Você sabe que não é bobagem. Por que não liga?

— Eu te encontro lá em meia hora, no máximo.

Ela freou o carro de forma brusca e me empurrou para fora com um dos pés, em frente a um ponto de ônibus lotado.

— Alberto Franco, você é um grande covarde! — gritou. Em seguida, acelerou com violência e deixou no chão e no ar um rastro de borracha queimada.

As palavras e a maneira como fui expulso do carro me abalaram um pouco, é verdade. Pior foi sentir que os transeuntes se divertiam com o covarde aqui, pensando, quem sabe, que não fosse mesmo homem para uma mulher como ela. Eles tinham razão, mas pelo motivo errado. Submeter-me aos caprichos de Clara me parecia uma forma muito maior de covardia do que comparecer ao trabalho em pleno dia de folga, temeroso da reação da editora enlouquecida.

A voz de Gentil, metalizada pelo gravador tosco, e a voz de Clara chamando pelo prazer que só ele lhe proporcionava não me saíam da cabeça. Mais uma vez me deixei ser humilhado pelos dois. Se tivesse o mínimo de dignidade, teria atirado o aparelho pela janela, com a dona junto, se preciso. Ou então, teria pisado no acelerador daquele carro até que o primeiro obstáculo nos impedisse de progredir. Assim, eu me sentiria um pouco mais digno destas páginas que agora lhe escrevo.

Não, era melhor não ser tão duro comigo mesmo, diria a própria Clara em um raro momento de ternura. Afinal, tudo está escrito, ela diria, lembrando a máxima da vidente onipresente.

14

Quando até as baratas o abandonam, não há como não dizer que se trata de um mau sinal. Em meio à imundície desprezada pelos insetos e ao descaso que tomou conta do apartamento às vésperas da execução da ordem de despejo, Daniel e Renato resolveram promover uma festa, algo impensável nos tempos de Nélio.

Meu humor não estava para celebrações, pensei em partir logo para o hotel onde me hospedaria de forma provisória até encontrar um novo lugar, desta vez só, enfim. Os convidados não haviam chegado, estavam somente os dois, às voltas com os comes e bebes providenciados para a ocasião. Brindamos ao fim da república com latinhas de cerveja que estavam dentro de uma geladeira de isopor — a energia elétrica era artigo em falta havia tempos.

Sentamos os três no escuro, um ao lado do outro, no velho sofá usado como cama por Renato. Era a oportunidade que esperávamos para esclarecermos as diferenças. Ninguém precisava mais tolerar um ao outro no dia seguinte, ninguém devia mais respeito a ninguém. O silêncio que se seguiu e se prolongou, no entanto, foi mais forte e esclarecedor que qualquer insulto. Os três mirávamos a tevê onde um dia assistimos a filmes de terror de baixa qualidade dublados por Clara Bernardes. A sensação agora era a contrária, parecia que nós fazíamos parte de alguma trama macabra e que apenas um de nós sobreviveria no final.

— Ela não vem hoje, é dia da peça — murmurou Renato, roubando meus pensamentos.

— O que importa é estarmos juntos, uma pena o Nélio não poder brindar com a gente — eu disse.

— O Nélio não bebe — comentou Daniel antes de se levantar atrás de mais uma cerveja.

— Eu sei, foi só uma força de expressão. O que eu quero dizer é que a gente não precisava se separar por causa disso — falei.

— E o que se podia fazer? — questionou Renato.

— Muita coisa. Em primeiro lugar, fomos relapsos. Precisávamos ter tomado o controle da casa, dividido as responsabilidades, as contas, tudo.

— Ora, Franco, a quem você quer enganar? Estava tudo nas suas mãos, inclusive impedir esse despejo mesquinho — exaltou-se Renato.

— Espere um pouco — eu disse, levantando-me. — Admito minha parcela de culpa nessa história, mas não venham tirar o pescoço de vocês dessa forca.

— Tudo começou quando você trouxe Clara para cá — acusou Daniel.

— Vocês não acham que é muito tarde para começar um complô? Depois de todo esse tempo morando juntos, não conseguimos nem manter um diálogo civilizado! Quer saber? Não contem comigo para essa festinha ridícula de despedida!

— Franco, você não foi convidado — disparou Renato.

Busquei refúgio em Daniel, que me devolveu uma expressão fechada, dando razão a ele. Fiquei paralisado, e nem que pudesse conseguiria reagir à altura. O imenso desejo de acertá-los com qualquer um dos objetos que estavam ao nosso redor durou pouco. Ao final, restou apenas a dor da ferida com a estaca cravada no peito. Era eu o monstro daquela história, revelado no surpreendente clímax.

Não havia muito a fazer a não ser recolher meus pertences o quanto antes, ir embora e desejar nunca mais ver a cara dos dois. A intensidade com que fui atingido não teria me incomodado tanto não fosse a surpresa do golpe. Esperava, sim, um acerto de contas, mas não que a dívida recaísse inteira no meu colo. Desejava apontar o dedo na cara deles também, não numa disputa desigual, da qual na certa sairia derrotado.

Não que a opinião deles me incomodasse. Alberto Franco era um dos mais respeitáveis jornalistas do país. Versátil, acaba de ter sua famosa crônica sobre a final do campeonato — motivo de piada e admiração na internet — indicada para uma importante premiação jornalística. O reconhecimento em breve também viria dos cinemas, no roteiro adaptado de um romance pouco convencional que está prestes a estrear nas telas. Enquanto isso, especula-se que o texto do polêmico espetáculo *Sodorra e Gomoma*, sucesso em cartaz no teatro da cidade, possua uma colaboração não creditada do também dramaturgo. Estava na hora de pensar nos próximos projetos, um novo roteiro, uma guinada na carreira após um período sabático, o que fosse. As pessoas mal poderiam aguardar os novos lances desse multifacetado artista, a nova surpresa que ele estaria preparando. Diante de toda a glória à minha espera, não ter amigos e sair com uma garota que me chamava pelo nome de outro na cama parecia algo pequeno demais para me preocupar. Pelo menos, era assim que me esforçava para pensar.

Ao deixar o quarto na direção da sala agora lotada de pessoas, muitas delas conhecidas, tinha a exata noção de que poderia passar por uma nova humilhação caso Renato ou Daniel decidisse me expulsar da festa dentro da minha própria casa. Teria deixado o lugar sem me fazer notar se não houvesse me chamado a atenção uma mulher com traços extravagantes no exato lugar onde estivera sentado havia pouco. Ela fumava um cigarro longo e fino e tinha as pernas cruzadas cobertas por uma saia rodada e estampada. Ao lado dela, um cinzeiro flutuava e recolhia as cinzas que caíam do cigarro.

Havia tempos que desejava reencontrar a vidente. Melhor nem tentar entender os motivos da presença dela na festa de *des-proclamação* da república; todos pareciam conhecê-la e fazer uso dos seus serviços. Carmem completava a atmosfera do lugar, iluminado por velas coloridas e luzes de telefones celulares e poluído com incenso e um som de violão desafinado, acompanhado de vozes mais desafinadas ainda e dos gemidos que vinham dos quartos fechados, onde casais davam início a rituais de orgia inocente.

— Ora, ora, o que você faz aqui? — provoquei.

— As respostas estão dentro de você.

— Minha pergunta era retórica.

— Eu sei. A resposta também. — Ela podia até ser uma charlatã, mas tinha estilo.

— Queria mesmo falar com você — eu disse. — Precisamos fazer uma nova sessão de regressão.

— Sim, eu posso ver. No seu futuro, você revivendo o passado.

— Não sabia que você também entendia de futuro. Sabe, imaginei que cada vidente tivesse uma especialização diferente.

— Digamos que eu sou uma espécie de clínica geral do ocultismo — ela brincou. — Agora, venha aqui, preciso lhe mostrar algo.

Era difícil seguir o raciocínio da vidente. E, para ser sincero, nem estava interessado. Eu não sabia bem o que ela chamava de regressão. Se seguíssemos a linha dos nossos primeiros encontros, precisaríamos achar um quarto vago para dar início à sessão. Ela mal me tocou no rosto e eu já tremia de excitação.

Imaginei que pudesse transar, regredir ou o que fosse no próprio sofá, no meio dos convidados. A vidente, porém, tinha outros planos e apenas colocou nas minhas mãos o exemplar de um livro. Ao examinar com mais atenção a brochura, aproveitando um rastilho de luz que vinha de uma vela postada logo acima da nossa cabeça, que depois notei estar flutuando, verifiquei que se tratava do livro que adaptei para o cinema.

— Como o romance foi parar nas suas mãos? Existe algum significado oculto nestas páginas que ainda não desvendei?

— Na verdade, não. Achei debaixo da almofada do sofá e presumi ser seu.

— E o que a fez imaginar isso?

— Havia uma dedicatória com seu nome logo na primeira página. O mais difícil foi entender a letra, um verdadeiro trabalho de vidente — ela disse antes de me deixar para se juntar à roda de violão, acompanhada do cinzeiro e da vela flutuantes.

Fiquei um tempo olhando para o livro amarrotado, mesmo sem enxergar nada no escuro. Daniel se aproximou pouco depois e me deu um forte abraço, como se nada houvesse acontecido entre nós horas antes, graças ao efeito amnésico do álcool. Aproveitei também para fazer as pazes com Renato, não havia por que rompermos agora que estava tudo terminado.

— Vamos lá, eu quero uma foto dos três juntos — disse uma voz feminina próxima a nós. Forçamos um sorriso melancólico antes de o *flash* da máquina nos cegar.

A dona da máquina chamava-se Antônia e era fotógrafa do *Jornal*. Ela nunca desgrudava do equipamento, pelo menos nas poucas vezes em que a vi. Estava sempre na rua, em busca de imagens chocantes. Com fontes na polícia, era a primeira a chegar aos locais de crimes, e capturava sem cerimônias imagens de corpos ensanguentados em chacinas e afins.

— Triste pela despedida dos amigos? — ela me perguntou quase no fim da festa.

— Só um pouco pensativo. Não é bem uma despedida, vou continuar a ver Daniel todos os dias no trabalho.

— Você vai ao lançamento do livro dele?

— Não perco uma boca livre por nada neste mundo — brinquei. — Fui um dos grandes incentivadores de Daniel.

— Eu, no seu lugar, não faria propaganda disso. O ego dele não cabe mais naquela redação, imagine agora com o livro.

— Tem razão, mas poderia ser pior. Palavra de quem já leu os textos de ficção dele.

— Não imaginava que o escravo preferido de Miriam Saboia entendia de literatura — ela disse com um sorriso.

— Nem me fale — eu disse, verificando se havia alguma chamada não atendida no celular, um impulso incontrolável sempre que ouvia o nome da minha chefa. — O meu negócio não é jornalismo. Na verdade, sou roteirista de cinema. Tenho um roteiro adaptado de um filme que vai estrear em breve e vários outros projetos, sabe como é.

— Claro! Também escrevo os meus poemas por aí, mas não tenho talento.

— *Não tenho ambições nem desejos / Ser poeta não é uma ambição minha / É a minha maneira de estar sozinho* — declamei, arrancando um sorriso que, por uma fração de segundos, trouxe a luz de volta ao apartamento abandonado.

Era bem possível que terminássemos a noite na cama, se àquela hora todos os quartos, inclusive o meu, não estivessem ocupados. Antônia tinha os lábios doces e um senso de humor à prova das paranoias que me seguiam. Eu quase não sabia como me portar. Em outros tempos, uma garota como ela jamais passaria despercebida por mim. Não fosse a ausência de Clara, na certa não teríamos nos aproximado naquela noite.

Sabia que precisava agarrar a oportunidade. Foi assim que mudei de planos, e menos de um mês depois, já me sentia em casa no apartamento de Antônia. Assumi o pagamento do condomínio e dividíamos as outras despesas. Íamos juntos ao trabalho, almoçávamos juntos quando um de nós não estava em pauta na rua, voltávamos quase sempre à mesma hora, jantávamos uma comida congelada qualquer, e ao som de um dos discos de *jazz* da extensa coleção dela, fazíamos amor.

Sem roupas, Antônia exibia curvas pouco perigosas, perfeitas para uma longa viagem. A pele morena ainda trazia marcas de biquíni do verão anterior, eu quase podia notar o lento processo de despigmentação nas noites em que passava acordado, admirando-a. Meu corpo e o dela dialogavam como velhos conhecidos, porém, sempre nos reservavam alguma surpresa ou sensação nova. Extenuados, jurávamos amor em silêncio enquanto torcíamos para que, de alguma forma, o sol não tornasse mais a esconder a noite de nós. Por Deus, eu bem que poderia ser mais um heterônimo de Pessoa se meus versos não soassem tão espontâneos quanto calhordas. Não, eu não passava de um reles narrador de uma estúpida trama sem importância. Se não fosse por você, que agora me lê, o que seria de Alberto Franco? Estamos no mesmo barco, eu e você, guardando rebanhos inexistentes.

15

Com Antônia ao meu lado ficava mais fácil suportar o clima de pressão na redação. A chegada de um novo jornalista também contribuiu para apaziguar os ânimos da nossa combalida editoria. O nome dele era Otto, um garoto franzino e tímido, recém-saído da universidade. Boa gente, engajava-se nas reportagens não apenas por obrigação ou cobrança, mas com um obstinado espírito de quem acredita que pode mudar o mundo. Com sorte, o máximo que conseguirá será o lugar de Miriam dentro de alguns anos. Pode chamá-lo de tolo, se preferir, mas não havia como não o invejar.

A comparação entre nós não se mostrava muito positiva para mim. Otto entregava matérias como quem prepara pão, e sem reclamar ou fazer drama como eu. Os textos dele não tinham o apuro estilístico dos meus, um detalhe que ninguém chegou a perceber. Soube depois que o salário dele era ainda mais baixo que o meu. O negócio era adquirir experiência para, no futuro, barganhar uma remuneração melhor, contou-me. Pobre Otto, ele acreditava no sistema.

O fim da república provocou pouco ou nenhum transtorno. Como todas as contas estavam no nome de Nélio, os credores não podiam nos incomodar. Com Daniel, houve um afastamento natural agora que não tínhamos mais nada em comum.

Por outras pessoas, soube que ele não gostou nem um pouco do romance entre Antônia e eu. No *Jornal*, havia uma norma não explícita que determinava prioridade aos editores no assédio sexual. Cheguei a ficar surpreso ao receber um convite para o lançamento do livro dele. O gesto talvez fosse uma forma de mostrar a força sobre o colega que nunca lhe reconheceu o talento.

O lugar estava cheio, e pela velocidade com que as pilhas de livros diminuíam, concluí que as vendas iam bem, obrigado. A ampla divulgação do lançamento no *Jornal*, que incluiu uma entrevista com o autor — escrita e editada pelo próprio — na capa do caderno de cultura, deve ter contribuído para o resultado. Entre os convidados, reconheci o músico Tom Zé cercado por uma roda de puxa-sacos.

Antônia e eu compramos um exemplar cada — ela para agradar, e eu, como um silencioso pedido de desculpas. Na dedicatória a mim, grafou: *para quem tornou tudo isto possível*, antes da quase ilegível assinatura.

Permanecemos em um canto da livraria ao lado de alguns colegas do jornal bebericando o tradicional vinho sem gosto servido nessas ocasiões. Daniel mobilizou para o lugar até o colunista social do *Jornal*, que ao lado de um fotógrafo despejava *flashes* sobre os convidados ilustres da celebração.

No meio das luzes, bebidas e multidão, demorei para reconhecer meu amigo Renato. Ele exibia uma barba cerrada e estava ao lado do cara com quem passou a morar junto. Sim, morar junto, não dividir apartamento, como fazíamos. Era a primeira vez que o encontrava desde que decidira virar *gay*. Não sei bem se foi uma decisão, eu nada entendia dessas questões de sexualidade enrustida. Podia ser impressão minha, mas ele parecia diferente no modo de se vestir, impecável. Ou na maneira como trocava gentilezas com o amigo, esse ainda mais estranho, e no jeito como apontava para passagens no livro de Daniel, o pulso flexionado a noventa graus do antebraço e o dedo indicador ereto como um tronco.

Nunca fui dado a comentar as preferências sexuais das pessoas, pelo contrário. Guardava uma sutil desconfiança de Daniel no tempo em que morávamos juntos, afinal, o eruditismo era a porta de entrada para a veadagem na vizinhança pobre e ignorante de onde vim. O próprio Tora e toda a autoridade forçada por uma máscula presença de espírito também não me inspiravam confiança. Com Renato, porém, era diferente. Desde que ingressou na república sempre demonstrou hábitos franciscanos e incompatíveis com os de um homossexual. Não que um *gay* não pudesse ser humilde, mas ele não demonstrava um mínimo de frescura capaz de levantar suspeitas. Além do mais, já fomos bem próximos, em um tempo que agora me parecia remoto e talvez inexistente. Dividimos vários programas culturais gratuitos na cidade, classificados de jornal e tardes inteiras em frente à tevê, e posso lhe assegurar que em nenhum momento ele demonstrou alguma atitude comprometedora. Você sabe, ele tampouco me pareceu *gay* quando o surpreendi nu ao lado de Clara, na minha cama.

Qualquer evidência parecia pouco verossímil diante da nova imagem do meu amigo ao lado daquele homem. O parceiro arrumara para ele um emprego na empresa onde trabalhava. O dono do lugar via nele um rapaz de potencial para ocupar o cargo de gerente, disse ele, orgulhoso. Renato, gerente e veado, quem diria! Precisava me conter para não deixar transparecer uma espécie de ciúme, que poderia ser visto de forma suspeita pelos demais.

Passado o sobressalto, foi agradável permanecer ao lado deles. Manter-me em pequenos grupos ajudaria a evitar um novo encontro com Clara Bernardes. A livraria não era grande, de modo que ela parecia estar em todos os lugares. Com o canto dos olhos era sempre possível acompanhar os movimentos dela, no centro das atenções. Em outros tempos, meu comportamento seria o oposto: exibir-me ao lado de Antônia o quanto pudesse, no intuito exclusivo de irritá-la. Agora, tudo o que desejava era preservar a relação, e a sombra dela sobre nós era um mau agouro desnecessário.

De todo modo, tinha noção de que cedo ou tarde nos esbarraríamos. Ela parecia apenas esperar o momento certo, quando a quantidade de taças de vinho barato ingeridas por mim ultrapassasse a casa de um dígito, para dar o bote. Se ela fez a contagem eu não sei dizer, o fato é que na primeira oportunidade em que me viu desgarrado de Antônia veio na minha direção, discreta:

— Precisamos conversar — ela disse.

— Eu não vejo nenhuma necessidade — repliquei sem muita convicção e com a língua dormente pelo álcool.

— Fran, é sério. E precisa ser agora.

— Clara, você parece uma criança mimada, acha que tudo pode acontecer na hora e do jeito que você quer...

— É sobre isso mesmo que eu quero falar — emendou.

Calou-se em seguida ao perceber a chegada de Antônia, que me abraçou por trás com intensidade para demarcar território. A cena me agradava, podia imaginar as duas rolando no chão por mim. Alguns minutos depois, quando estivessem exaustas e com parte das roupas rasgadas, seria fácil dominar ambas, e ali mesmo, no chão imundo e rodeado por livros de autoajuda, fazer que satisfizessem meus caprichos sexuais.

Um pouco frustrado, presenciei na sequência um diálogo muito amistoso entre elas. Em um determinado ponto descobriram gostos em comum e me excluíram da conversa. Temendo a influência de Clara, procurei qualquer desculpa para tirar Antônia de perto, mas não consegui impedir uma troca de telefones e promessas de discussões mais aprofundadas sobre a influência de Count Basie na música *pop* atual. Dali era um pequeno passo até começarem a compartilhar e se divertir com meus segredos mais íntimos. No final, ainda me comprometi a levar Antônia a uma apresentação de *Sodorra e Gomoma* antes de a peça partir para uma temporada fora da cidade.

— Espere, Franco, acho que Clara não lhe disse o que queria, não é? — ela disse olhando na direção da minha algoz.

— Desculpe, Antônia. É um assunto particular — respondeu Clara.

— Não se preocupe — afirmou antes de olhar para mim e dizer: — Espero você em casa, então. Veja se pega um táxi.

— Táxi? Não me diga que Franco ainda não aprendeu a dirigir! — zombou Clara.

— Tudo bem, estou me acostumando a ser o homem da casa — disse Antônia também em tom jocoso.

Tentei responder à provocação, mas ela em seguida deu um beijo em meu rosto e um breve adeus a Clara e nos deixou a sós na livraria agora quase vazia.

A civilidade de Antônia não ficava a dever a nenhum embaixador das Nações Unidas. Deixar-me com Clara podia ser um sinal de desconhecimento do inimigo, mas muito mais um gesto de confiança em mim e em si própria. Esperta, decidiu correr um risco calculado ao me expor àquela situação-limite. Afinal, eu jamais seria capaz de traí-la de uma forma tão ordinária.

— Como essa garota é trouxa — zombou Clara agarrando-me pelo pescoço e levando meus lábios na direção dos dela assim que Antônia deixou a loja.

— Deixe de ser louca! — contestei após desviar-me do beijo que acabou me atingindo no rosto, quase no mesmo local que o de Antônia instantes atrás.

— Eu sei, vocês têm muitos conhecidos aqui. Vamos para outro lugar.

— Eu não vou a lugar algum com você.

— Fran, é sério. Preciso da sua ajuda.

— Tudo bem, não preciso sair daqui para ajudá-la.

— Você está com raiva de mim, eu aceito. Mas não menti quando disse para Antônia que o assunto era particular. Ouça-me só mais esta vez, por favor...

As últimas palavras foram ditas por ela num tom embargado, compatível com as lágrimas que lhe enchiam os olhos. Ora, se minha namorada fora iludida com o que eu julgava ser mais uma boa interpretação da atriz e dubladora, o que podia fazer um pobre amador como eu?

Saímos no carro dela em silêncio, com as luzes da cidade por testemunha. Todas elas me olhavam com reprovação, seriam capazes de me cegar caso eu tivesse coragem de encará-las diretamente. Por sorte, a motorista logo deixou as ruas mais movimentadas até alcançar a entrada de um motel.

— O que é isso? — perguntei imaginando a óbvia resposta.

— Não pense bobagem, confie em mim — ela disse, séria.

Tive pouca margem para negociação. Argumentando que estávamos em um local perigoso para uma discussão, Clara enfiou o carro na entrada do lugar e pegou a chave de um quarto. Tudo bem, eu pensei. Assim que chegarmos, peço um táxi e volto para casa, são e salvo.

O plano acabou não dando certo, um pouco por falta de força de vontade, porém, mais pela obstinação de Clara em puxar-me pelo braço até a grande cama redonda, onde me fez sentar. Já me dava por vencido quando, em vez de dar sequência ao plano de sedução, pôs-se em pé à minha frente e a caminhar de um lado para o outro com uma pequena caixa de papelão nas mãos. Depois de alguns minutos no vaivém que me deixou um pouco tonto, ainda como reflexo do vinho barato de havia pouco, parou subitamente e disse:

— Estou grávida.

Espere. Ainda agora, com a distância regulamentar de todos esses acontecimentos, reconheço que é difícil me conter ao relembrar o momento em que Clara me disse que estava grávida. Você pode imaginar, portanto, a minha reação ao ouvi-la pela primeira vez. Eu sempre concebi uma revelação de tal magnitude como nas novelas televisivas, um anúncio dramático acompanhado por um acorde seco e grandiloquente, seguido de uma pausa para os comerciais. Mas não. Se pudesse reproduzir o que ocorreu nos momentos seguintes à confissão de Clara, teria de deixar as próximas cinco páginas em branco. Minha primeira e natural reação foi a de descrença. Ela logo abriria um pequeno sorriso no canto dos lábios que denunciaria a brincadeira de mau gosto. Quem quase disparou a gargalhar, no entanto, fui eu, numa mescla de nervosismo e embriaguez. O silêncio no quarto e o vazio das ações ajudavam a propagar o som das lágrimas que começaram a brotar no rosto dela. Em resposta, gotículas geladas de suor se formaram em minha fronte e nas costas.

Enquanto assimilava e tentava compreender o significado da frase "estou grávida", o processo de fertilização ocorria em algum lugar na minha mente, a uma velocidade ultrarrápida. Eu conseguia me colocar no lugar do espermatozoide que, após deixar para trás os milhões de adversários, ainda precisava reunir forças para perfurar a linha de chegada e obter o troféu que lhe era seu por direito.

Para provar que dizia a verdade, Clara abriu a caixa do remédio, na verdade um teste de gravidez, e foi ao banheiro; pouco menos de um minuto depois, trouxe o resultado. Conforme as instruções do produto, caso o teste apresentasse como resultado duas listras azuladas, a probabilidade de gravidez era superior a 99%. Clara permaneceu diante de mim, vestida somente da cintura para cima, exibindo a prova de algo que ainda não sabia qualificar, mas que não era, de forma alguma, um crime.

A situação exigia agora algum tipo de atitude. Era a minha vez de jogar, ainda que desconhecesse as regras. Sentado agora, depois de tanto raciocinar a respeito dessa delicada passagem, imaginei muitas possibilidades de saídas honrosas. Cruzar a porta do quarto e deixá-la sozinha, parcialmente nua e com o teste de gravidez ainda fresco nas mãos, seria uma atitude justificável em um instante de loucura, quando necessitava pensar melhor a respeito das consequências da revelação. Negar a paternidade que ainda não me fora atribuída ou qualquer ligação com o fato também seria uma forma eficiente de autodefesa.

De todas, porém, a alternativa que mais me agradava era a de simplesmente correr para os braços de Antônia. O surgimento de uma criança, fruto de um relacionamento anterior, não seria um impedimento para continuarmos juntos, um casal contemporâneo, a típica união que será registrada nos futuros livros de antropologia como um comportamento do ser humano no início do século XXI, pouco antes da catástrofe que abalaria toda a espécie.

Não sei dizer se agi por instinto ou tomado pela emoção. De alguma forma, tomei Clara pelos braços e a conduzi à cama, ao mesmo tempo que me concentrava em enxugar com os lábios as lágrimas que jaziam na face dela. Era tarde para qualquer reflexão, ou talvez cedo, dependendo do ponto de vista. Tomados por uma espécie de fúria represada, arrancamos as roupas e fizemos amor, sem nenhuma espécie de pensamento ou culpa. Em algum lugar bem próximo à intersecção dos corpos, o pequeno embrião se desenvolvia na velocidade da natureza, e de alguma forma se mostrava feliz por participar daquela intrigante e universal celebração da vida.

16

— Clara, você é um demônio... — murmurei deitado na cama de bruços, o som da voz abafado pelo travesseiro.

— Você fala em anjos e demônios como um autor de best-seller barato — ela respondeu com ironia.

Demônio, demônio, demônio, eu repetia para mim mesmo. Não havia outra justificativa para as atitudes que tomava quando estava ao lado de Clara. De alguma forma, era possuído pelo espírito maligno que habitava o corpo dela. Na certa, a criança que carregava dentro de si, o pequeno e inocente bebê, era na verdade a própria reencarnação do diabo. Eu queria ter coragem de dizer muito mais, insultá-la e fazê-la confessar que desde o começo tudo fazia parte de um plano para me arrancar dos braços de Antônia.

— Eu não devia estar aqui. Precisava me trazer até aqui para me dar a notícia? — questionei.

— Eu não sabia qual seria sua reação, precisava provar o que dizia. E você já estaria em casa a uma hora dessas se não houvesse me atacado.

— Eu, atacado você? Estava no meu canto, quieto, até você se intrometer mais uma vez na minha vida.

— A verdade é que, no fundo, você esperava uma chance, ainda que pequena, de transar comigo. É só por isso que veio.

— Não. Eu vim aqui porque você é um demônio.

— Não é preciso ser tão mau assim para lidar com você. Basta oferecer um pouco de sexo, é só nisso que você pensa.

Meu desejo era esganá-la com todas as forças até que morresse ou pedisse desculpas, de preferência os dois. Na certa, já o teria feito se não fosse incapaz de fazer mal a alguém, ao menos não de forma premeditada, como parecia ser de praxe para ela.

— Céus, como você pode ser tão má?! — questionei.

— Não entendo esse seu conceito de maldade, que parece valer só para os outros.

— O meu conceito é o universal. Adão, Eva... a porra da maçã, lembra?

— Você tem medo de ir para o inferno, é isso?

— Não digo medo, mas não suportaria a ideia de me ver cercado por um monte de demônios como você.

— Confesse que no fundo você ia gostar — ela riu, persuadindo-me a acompanhá-la, mesmo contra a vontade.

— Provavelmente você tem razão, eu também sou do mal — concordei voltando a esconder o rosto no travesseiro fofo.

— Ora, Fran, não se cobre tanto assim. Se estivesse preocupado com Antônia, eu entenderia, mas esse temor a Deus não combina com você.

— Cuidado, garota! Pense duas vezes antes de citar os nomes de Deus e Antônia em vão — adverti.

— Por que não posso citar o nome daquela cretina? E de Deus, então? DEUS, DEUS, DEEEEUS! — gritou na minha direção.

— Você é louca!

— Não, quem é louco é você. Se Deus existe, quem me garante que Ele não gosta que usem o nome Dele em vão? Os dez mandamentos? Faz-me rir!

— Você é um demônio.

— Mas que chato! — reclamou. — Não sabe dizer mais nada?

— Tenho pena dessa criança que vai nascer, com a mãe que tem.

— Se essa criança tiver algum problema, a culpa com certeza vai ser do pai! — ela disse. Em seguida, pôs as mãos na boca num impulso de quem reconhecia ter falado demais.

A insinuação involuntária tomou a força de um trovão enviado por Deus em pessoa, ou em trovão, o que fosse. Não havia como reagir à provocação, nem sequer sabia se se travava de uma afronta ou de uma confissão. O filho, então, era meu? E como poderia ter certeza? Não era o melhor momento para perguntar. A hipótese passou por minha cabeça desde a revelação do teste de gravidez. Havia Gentil, o dublador, com quem dividia o corpo dela nos últimos meses, ou talvez algum amante ocasional mais fértil do que eu. Não importava, no fim das contas, a mensagem fora dirigida a mim. Pedir uma confirmação soaria ridículo e pouco inteligente. E se tudo não passasse de um blefe?

— Eu vou assumir a criança — disse a ela sem saber ao certo o significado daquela frase.

— Não se sinta responsável. O demônio aqui não precisa de ninguém — respondeu tirando as mãos dos lábios para a barriga.

A procedência dos espermatozoides parecia ser pouco relevante para ela, menos ainda para o embrião que, naquele instante, trabalhava com afinco pela sobrevivência. O ventre nu de Clara refletia uma breve passagem de luz que transpassava uma pequena abertura da grossa cortina que escondia nosso pecado do lado de fora e denunciava a chegada calma da manhã. Incrível como os sistemas de vedação parecem nunca funcionar quando se deseja descrever uma imagem poética...

Imerso em pensamentos e preocupações, acabei me distraindo do pecado original. Quando cheguei em casa, Antônia me aguardava cabisbaixa, com minhas malas ao lado da porta de entrada. Éramos um casal contemporâneo, mas não a ponto de aceitar traições daquela natureza.

Tivemos uma separação tranquila, uma síntese do período em que estivemos juntos. Senti falta dos discos de *jazz*, o sax tenor que preenchia os espaços das paredes e camuflava os ecos das nossas noites. Eu sabia exatamente onde havia falhado, e ainda assim me perguntava: por quê?

Pouco tempo depois soube que começava a sair com Daniel. Acredito que a notícia tenha chegado a mim pela primeira vez de forma premeditada. Antônia ansiava por uma reação, uma retratação, quem sabe um duelo de morte entre os dois velhos amigos pelo seu coração. Devia ser difícil para ela aceitar a humilhação de ter confiado em meu bom senso. Nem a gravidez de Clara, que fiz chegar aos ouvidos dela, deve ter atenuado o ódio, antes de tudo de si própria. Afinal, Alberto Franco já era um notório desequilibrado emocional antes de conhecê-la.

Alimento a ilusão de que a teria de volta se me esforçasse mais um pouco. Ela teria entendido meu momento de fraqueza diante da notícia de que seria pai. Se não o fiz, se não lutei quando a correnteza me puxava para longe, foi porque gostava mais dela do que imaginava, e não seria justo deixá-la se afogar comigo. Da última vez que conversamos pareceu-me bem, até demais. Ao lado do meu amigo, vivia no mesmo apartamento que dividimos durante o tempo de uma estação. Ali mesmo, enquanto lhe entregava as chaves e levava meus últimos pertences, contou-me seus planos e não mostrou ressentimentos.

— Não se preocupe, Franco. O que aconteceu entre nós estava escrito.

— Você também? Aposto que quem lhe disse isso foi Carmem, a vidente.

Ela concordou com a cabeça. Com toda essa clientela, a mulher não devia ter problemas financeiros. Talvez a vidente tivesse a explicação para o fato de a felicidade de Antônia me incomodar tanto. Como se fosse possível ser feliz ao lado do imbecil do Daniel. Depois de enveredar pelo jornalismo literário, meu amigo agora escrevia uma tese de mestrado, algo sobre a influência da *nouvelle vague* nos símbolos do tropicalismo. Na certa, tinha planos de transformar essa baboseira em mais um livro idiota para camuflar estantes de intelectuais ainda mais medíocres. Dentro de alguns anos destilaria seu conhecimento inútil em alguma sala de aula de uma universidade qualquer.

Tudo bem, quem olhasse para nós dois na certa diria que o derrotado era eu, um mal-ajambrado jornalista, um quase burocrata que não deu certo e apenas repete numa folha informações ditadas por outros e as publica num papel que vale ainda menos que ele. Daniel ao menos evoluiu. Percebeu a tempo que a literatura não o levaria a nada, não só pela falta de talento nato como pelo descaso que as pessoas dão a ela hoje em dia. O jornalismo cultural deu a ele o prestígio necessário para nos ver a todos — escritores, roteiristas, diretores e dramaturgos — do alto de sua sabedoria descartável.

Com a disputa por Antônia perdida, como poderia provar ao mundo que o talento estava do meu lado e não do dele? Daniel tinha uma bela mulher, um livro publicado e era editor do *Jornal*. Do meu lado, tudo o que tinha era o roteiro adaptado. Não dava para considerar a coautoria não creditada de uma peça de estética duvidosa como *Sodorra e Gomoma*. A estreia do filme, portanto, era minha única chance de reverter o placar a meu favor. O produtor Doni Calçada chegou a estranhar minha insistência em lhe telefonar e enviar *e-mails* interessados em saber do andamento da montagem e sonorização. Nem quando me devia dinheiro eu agia dessa forma.

"O filme está previsto para o segundo semestre", garantia sem se dar conta de que já estávamos no segundo semestre, a não ser que se referisse ao ano seguinte. Até a estreia, o filho da atriz Clara Bernardes estaria perto de ensaiar os primeiros passos, ao lado do pai, o roteirista Alberto Franco, vencedor de vários festivais e revelação da dramaturgia brasileira.

Se prever o lançamento do filme parecia difícil, pior seria imaginar-me ao lado de Clara até lá. Se bem que as chances de nossa relação finalmente dar certo aumentaram desde o anúncio da gravidez. Depois do fim do relacionamento com Antônia, fui morar mais uma vez com ela, no pequeno apartamento de paredes vermelhas. Àquela altura, preferi não saber se era ou não o pai. Dormíamos juntos e eu procurava não me incomodar com as frequentes visitas de Gentil, que agora se dizia "apenas amigo" da atriz, no tipo de relação civilizada que nunca me convenceu.

A lua de mel a três durou pouco. Ela logo deixaria a cidade com a companhia de teatro para as apresentações da peça no interior. Seriam dois meses fora, e quando voltasse o embrião que carregava já estaria brigando por mais espaço nas restritas medidas da mãe. Se eu pudesse dar um conselho ao bebê, diria para que aproveitasse ao máximo aqueles nove meses de estadia. Desde os longínquos tempos de feto, todos os lugares onde vivi me pareceram inóspitos. Nem mesmo com Antônia conseguia me sentir em casa, isso para não citar a caótica temporada na república. Dos lugares, apenas as pessoas me faziam falta, e até elas me pareciam estranhas depois de algum tempo.

17

Contrariando as expectativas, até que me ajeitei bem no apartamento, não fosse o telefone que não parava de tocar, sempre com alguém à procura de Clara Bernardes. A história da prisão de Nélio havia deixado as manchetes, mas o interesse pela atriz e dubladora continuava. Era sempre cotada para algum papel na televisão ou no cinema que nunca se concretizava.O que sobrava eram convites para participações em programas de televisão e produções de qualidade duvidosa, no nível de *Sodorra e Gomoma*. O último trabalho dela, um pouco mais conceituado, fora a voz de um peixinho dourado em um desenho animado. Enquanto não surgia a grande oportunidade, aumentavam as especulações sobre uma gravidez, que ganharam força após a recusa dela a uma proposta para posar nua em uma revista masculina.

Durante a ausência de Clara, fui obrigado a suportar a convivência com Gentil. A pedido dela, às vezes lhe emprestava algum dinheiro, do qual jamais vi a cor novamente. Aos poucos, fomos nos conhecendo melhor e até o limite do suportável. Não era raro voltar do trabalho e encontrá-lo adormecido na cama, cercado por latas de cerveja que ele próprio trazia e estocava no pequeno frigobar instalado ao lado da televisão. Ele dizia não aguentar o convívio direto com a mulher e a bagunça dos três filhos.

— Três filhos? — repeti, surpreso.

— Pois é. As mulheres encostam em mim e engravidam — riu.

— E o filho de Clara, não acha que é seu? — questionei, preocupado.

— Você é um cara legal, Fran — desconversou. — Clara não merece você.

— Não acho que você esteja em posição de me dar conselhos — eu disse.

— Você se humilha demais, cara. Como consegue?

— É ela quem corre atrás de mim. Se pudesse, já teria dado o fora há muito tempo.

— Cada um acredita no que quer...

— Eu não sou nenhum idiota, você quer é o caminho livre para ficar com ela — acusei.

— Eu caí fora a tempo. Ela só quer saber da minha voz. E de um pouco de sexo também...

— Talvez você esteja certo. O idiota aqui sou eu. E pior, não consigo evitar.

— Então, você vai assumir a criança?

— Acho que sim. No fundo, quem vai aplicar o golpe sou eu — respondi.

Ele abanou a cabeça, concordando e rindo. No fundo, éramos muito parecidos, Gentil e eu, até no senso de humor. Ao olhar para ele, não conseguia deixar de me imaginar dentro de alguns anos, com a desvantagem de não contar com aquela voz. Assim, pouco importava para Clara de quem fosse o filho. O destino da criança já parecia traçado.

Foi Gentil quem atendeu à ligação e mais tarde me passou o recado de Doni Calçada, convidando a mim e a Clara para uma sessão fechada de exibição do filme. Era chegada a hora de conferir se o meticuloso trabalho de Clóvis Brandão, obsessivo no processo de montagem das cenas, dera o resultado esperado ou se ele conseguiria nos surpreender.

Havia pouco mais de quinze pessoas na sala de projeção: o responsável pela sonorização, os protagonistas, que também assumiram a coprodução em busca de mais dinheiro, a bela atriz que me cantou na época das filmagens e o diretor de fotografia, além de alguns jornalistas — um deles era Daniel.

Na última das cinco fileiras estava você, pensativo, meio deslocado naquele ambiente. Decidi me sentar a seu lado, curioso por ver as suas reações durante a projeção. Ainda mais apreensivo estava Brandão, que surgiu com um rolo de filme debaixo de um braço enquanto o produtor o puxava pelo outro.

Primeiro, foi exibido o *making of* da produção. Imagens de Clara nua, ainda com os longos e apaixonantes cabelos cacheados, das brincadeiras nos corredores do *set* de filmagem e do velho apartamento usado como locação eram intercaladas com entrevistas curtas. Você apareceu à frente de uma pequena biblioteca que mais parecia uma coleção particular — imaginei que aquela fosse a sua casa — como um típico escritor. Contou para as câmeras como concebera o protagonista e como ele, às vezes, parecia se desgarrar das páginas do livro. Sim, ele bem poderia estar ao seu lado como eu naquele momento, não? Ao que parece, meu depoimento acabou cortado na edição final do pequeno documentário. Mas não importava. Ao final, todos batemos palmas enquanto aguardávamos pelo filme.

Cada um tinha seus próprios interesses na obra. Você, na certa se perguntava como o roteiro adaptado por Alberto Franco do seu livro fora materializado na tela. Os atores queriam conferir suas interpretações e a dimensão conferida aos personagens depois da montagem, enquanto o diretor e o produtor, únicos conhecedores do filme, tentavam não demonstrar ansiedade com a reação da plateia selecionada. Eu parecia ser o único no lugar que, depois de tanto tempo, deixou de nutrir grandes expectativas. Meu maior desejo era rever Clara na tela, uma Clara idealizada por você, inspirada em alguém que de fato existe ou existiu, ou então fruto de sua imaginação de escritor. O que posso dizer é que a Clara do filme me fazia tanta falta quanto a Clara que agora, quem sabe, esperava um filho meu.

Quando as luzes se acenderam antes mesmo do início da projeção do filme, a pequena audiência imaginou tratar-se de algum mal-entendido. Depois de algum tempo, e do inevitável burburinho entre os convidados, surgiram Doni e Brandão à frente da grande tela — ele ainda com o rolo de filme debaixo do braço e de mãos-dadas com o produtor, como uma criança indefesa. Estava evidente na expressão de ambos que não havia filme algum a ser exibido.

— Tudo bem, pessoal. Como disse, hoje iríamos exibir uma versão preliminar, mas Clóvis Brandão optou por não mostrar o material — disse Doni.

O diretor permaneceu quieto, com o rosto voltado para baixo, envergonhado.

— A verdade — continuou Doni — é que não temos condições financeiras para terminar o filme.

— Vocês precisam de mais dinheiro? Não era para ser uma produção de baixo orçamento? — você perguntou.

— Na verdade, alguns dos patrocinadores ainda nos devem. Fiquem tranquilos, não falta muito para completarmos o trabalho. Temos hoje mais de 90% do filme pronto — respondeu Doni.

— Você falou que tinha 95% da última vez — disse um dos atores.

— O material bruto tem mais de três horas, poderíamos exibir agora para vocês, mas não é isso que queremos, vocês sabem como fazer cinema é complicado no Brasil...

— Estava demorando para aparecer a velha desculpa esfarrapada dos cineastas incompetentes — ironizou Daniel, que nos próximos dias deveria publicar uma matéria sobre os problemas que acabava de presenciar.

— Não se preocupem, nós temos um primeiro corte. Precisamos apenas de mais alguma verba para terminar a edição e bancar as despesas com a pós-produção — justificou o produtor.

— A quem você quer enganar, Doni? Essa droga de filme não vai sair nunca — revoltou-se um dos presentes, que se levantou e deixou a sala de projeção em seguida.

Você se levantou do meu lado e o acompanhou. Num impulso, acabei fazendo o mesmo.

Depois de um tempo andando sem direção, acabamos os dois em um pequeno bar localizado próximo ao prédio onde foi exibido o *making of*. Ficamos frente a frente — parcialmente escondidos um do outro por um engradado de cerveja — um tanto encabulados, calculando cada palavra não dita, até você tomar a iniciativa, antes de virar para dentro de si um grande gole de cerveja:

— Posso lhe dar um conselho? Afaste-se de Clara Bernardes.

Engraçado. Por algum motivo, não fiquei surpreso diante do tema da conversa e da intimidade não solicitada. Era como se você já soubesse, muito antes de ler este manuscrito de computador, dos meus entreveros com Clara Bernardes. Esperei você desfrutar da bebida, que de modo caprichoso lhe desceu pela garganta, antes de responder:

— Ela está fora, com a peça. Na prática, já estamos afastados.

— Não acredite no que Clara diz, ela é uma atriz.

— Então também não devo acreditar em você. Escritores são mentirosos por profissão.

Você sorriu e se escondeu em mais um gole de cerveja antes de responder:

— Franco, você daria um grande personagem literário.

— Você não sabe o quanto é difícil ser Alberto Franco. Muito mais fácil deve ser a vida de um escritor consagrado.

— Sou tão consagrado quanto você como roteirista.

— Deixe de modéstia, todos estão à espera do seu segundo livro.

— Acho que vão esperar bastante. Não existe segundo livro.

— Mas vai existir, assim que você terminar.

— Você não entendeu. Faz tempo que não escrevo uma linha, pelo menos nenhuma que me agrade.

— Isso é passageiro, todos os grandes escritores passam por isso — incentivei.

— Pode ser, mas com os pequenos é mais frequente — você riu, incitando-me a fazer o mesmo.

— Pelo menos você escreveu um livro e lançou — tentei animá-lo. — As pessoas gostaram e até se interessaram em fazer uma adaptação para o cinema. Já pensou nisso?

— Não estou reclamando. Adoro escrever, mas não tenho muita imaginação. Tudo que acontece na ficção é inspirado na minha própria vida.

— Se quiser, pode usar este nosso diálogo no seu próximo livro.

— Por que você mesmo não escreve? Não acha que sua história daria um bom filme?

— Não me acho tão original assim. Minha vida daria uma continuação, no máximo.

— Existem boas continuações.

— Só aquelas dentro de trilogias, e o mundo está cheio delas — eu disse.

— Abaixo as trilogias! — você concordou antes de levar outro gole de cerveja goela abaixo.

— Todos passam por fases ruins — falei após sorver um trago do líquido dourado. — Eu falo com conhecimento de causa, pois a minha é permanente.

— Nem sei ao certo quando a minha começou. Alguns personagens saíram do meu controle. Devo ter dado liberdade demais a eles. Fiz de tudo para resolver esse bloqueio. Foi então que conheci uma vidente...

— Oh, não! Carmem — adivinhei.

— Foi uma experiência incrível, mas mesmo que eu dissesse você não seria capaz de entender...

— Eu sei, eu sei — falei impaciente. — Conheço essa ladainha muito bem.

— Nem tudo. Ela me contou do nosso encontro.

— Você quer dizer que ela disse que nós nos encontraríamos? — espantei-me.

— Mais ou menos. Ela me disse que eu teria um encontro importante... e inusitado.

— Ora, mas não é preciso ser vidente para dizer algo do tipo. Eu conheço bem a terapia de regressão dela.

— Eu sei o que aconteceu lá.

— Como? Ela lhe contou?

— Não vou entrar em detalhes promíscuos que você conhece.

— Espero que ela também tenha lhe dito que eu não pagaria esta conta — disse eu.

Você riu com a cumplicidade de quem compartilha os pequenos prazeres da avareza. Podíamos ficar ali horas, apenas para descobrir o quanto tínhamos em comum, além de compartilhar dos prazeres da terapia de regressão. Não sei quanto a você, mas eu precisava de respostas mais concretas que as de Carmem. O filme parecia perdido e você ainda mais ao confiar nas previsões da vidente. Eu não desejava ter o mesmo destino, embora não soubesse o que fazer para mudá-lo, nem se estava caminhando ao encontro dele. Pensando bem, se minha história rendesse um filme, estaria mais para regressão do que para continuação.

18

Tudo está escrito, repetia a vidente a todos que a procuravam, e todos pareciam aceitar as palavras de bom grado. Eu não. Se tivesse a oportunidade, perguntaria a ela quem escreveu o que estava escrito sobre nós e quem escreveu o que escreveu o que estava escrito, e assim por diante. Veja o nosso caso: no momento em que escrevo, tenho total consciência — ou pelo menos deveria ter — dos fatos que deram origem a esta história. Mas, na época em que os mesmos fatos ocorreram, eu ainda não tinha ideia de que algum dia iria lhe escrever. Existe um círculo vicioso nesse negócio de metalinguagem que eu prefiro não entender.

O que dizer, então, quando minha crônica futebolística acidental — a mesma que me custou o emprego e depois fez de mim uma celebridade anônima na internet — venceu um respeitado concurso jornalístico? Nem a frustrada tentativa de impugnação da premiação por coleguinhas invejosos, sob a justificativa de o vencedor do prêmio não ser formado em jornalismo, estragou meu momento de glória. Nessa época, meu contato com a temida editora Miriam Saboia havia assumido uma espécie de reverência mútua. Ela agora tinha o pobre Otto para escravizar, e ele parecia gostar de se submeter aos caprichos dela. E não era o único. A redação começava a ser infestada por uma praga de jovens ávidos por trabalho mal remunerado e sem reconhecimento. Passavam entre doze e quinze horas diárias na redação, sempre ao telefone ou digitando algum texto no teclado do computador.

Os garotos faziam o serviço que antes jogavam nas minhas costas, enquanto eu era enviado para almoços com autoridades e eventos glamorosos. Meu trabalho, na maioria das vezes, resumia-se a distribuir cartões de visita, e não era raro voltar sem matéria alguma para escrever. Passava o restante do tempo no corredor anexo à redação onde as pessoas iam fumar, alheias a qualquer proibição, enquanto discutiam política e futebol com quem também não tivesse nada mais produtivo a fazer no momento. De tanto ficar por lá, terminei fumando um ou outro cigarro, retomando, assim, um hábito pouco saudável e cuja abstinência resistiu até as tentadoras baforadas de Clara na minha cara. Meu amigo Daniel era outro assíduo frequentador do espaço. Foi ali, entre doses de café, nicotina e uma pitada de cinismo de ambas as partes, que descobrimos uma cumplicidade que jamais tivemos no tempo em que dividíamos apartamento. De uma dessas conversas vez ou outra surgia uma ideia para o *Blog do Franco*, um espaço que me deram na página da internet do *Jornal* onde eu poderia tecer outras crônicas polêmicas e dignas de prêmio.

Diante da minha nova condição, recebi um aumento de salário e renovei o guarda-roupa. As velhas camisas surradas e de colarinho apertado deram lugar a ternos confortáveis e gravatas coloridas que davam um tom informal e descolado ao visual. As mulheres da redação foram as que mais notaram a evolução, e não tive como evitar uma ou duas escapadelas fortuitas. A notícia de que seria pai deve ter contribuído para o súbito interesse feminino em meus espermatozoides. Eu era um legítimo procriador, no auge da virilidade.

Confirmando a reputação da família, fui informado do nascimento do meu sobrinho, nessa que deve ter sido a gestação mais longa da história da humanidade. O garoto nasceu com quatro quilos e meio, cabeludo e com a cara do meu irmão. Em visita ao hospital, reencontrei minha família, desta vez sem maiores percalços, não fosse o ceticismo deles com a notícia de que seria pai do filho de Clara Bernardes. Não que me importasse com isso, pois dificilmente a criança se tornaria amiga do primo que estava para nascer. O tio Franquinho pretendia dar ao filho um padrão de vida melhor do que ele próprio teve e provavelmente o sobrinho terá, e estava disposto a afastar qualquer influência que julgasse negativa, incluindo a família. Condições ele tinha para tal, dado o recente progresso profissional, sem contar a posição financeira sólida dos avós maternos. O mais provável era que ficasse mais próximo de Mateus, o sobrinho de Clara com quem joguei futebol na festinha de aniversário.

Planejar o futuro ficava mais difícil na ausência da mãe. Era impossível saber o que se passava na cabeça dela, se desejava ficar comigo ou não e o que pretendia fazer da carreira de atriz e dubladora. Também eu não pensava em tolerar a presença de Gentil depois do nascimento do bebê, por melhores amigos que tenhamos nos tornado. O primeiro sinal de semelhança entre ele e a criança, ainda que imaginário, faria que eu retomasse a saga de Dom Casmurro sem *pedigree*.

E não era só ele e minha família que colocavam a veracidade do testemunho de Clara à prova. Daniel também estranhou a novidade e chegou a me perguntar se tinha certeza de que o filho era meu, em uma intromissão duplamente inconveniente. Primeiro, por se tratar de alguém que conhecia e que compartilhou a intimidade de Clara. Ele podia muito bem ser o pai da criança se o infeliz episódio de traição houvesse se desenrolado em um passado mais recente. Segundo, porque eu não tinha como responder a ele de forma definitiva; talvez nem a própria mãe pudesse assegurar quem fertilizou seu óvulo meses atrás.

— Para dizer a verdade — eu disse a ele —, não me importa muito quem seja o pai, agora que Clara e eu estamos juntos.

— Você gosta de se enganar, não é mesmo? Já é tempo de superar essa separação, Clara não é a única garota disponível.

— Que separação? Você deve ter se confundido. Clara está em viagem com a peça — tentei esclarecer.

— Em que mundo você vive, Alberto Franco? A turnê de *Sodorra e Gomoma* acabou há quase dois meses. Ela está morando no Rio, foi até escalada para atuar na próxima novela.

No momento, eu nem imaginei como um jornalista cultural de alto nível como Daniel Provença estaria tão bem informado sobre as fofocas das celebridades. Tudo o que fiz foi tentar esconder a surpresa com a notícia. Não havia nenhuma razão plausível para Clara me deixar, e pior, nem sequer me avisar do paradeiro. Era evidente que eu havia sido o último a saber. Gentil me disse depois que não tocara no assunto por imaginar que eu já soubesse e não quisesse falar a respeito.

Nos dias seguintes permaneci taciturno, tentando entender se o que mais me incomodava era a ausência de Clara ou o fato de ter sido novamente passado para trás. O impulso natural seria tomar o primeiro avião para tirar satisfações com ela. Ao refletir melhor, contudo, concluí que não deveria me chatear tanto. Eu era uma pessoa satisfeita com minhas pequenas conquistas profissionais e pessoais. De vez em quando sentia uma aflição, um desejo secreto de dar início a algum trabalho criativo, até a frustração com o filme me trazer de volta à realidade, uma realidade boa, ao menos.

No dia em que ela reapareceu na casa que originalmente foi dela, imaginei de início se tratar de uma alucinação provocada pelo excesso de uísque barato consumido no bar próximo ao jornal, onde batia ponto após — e algumas vezes durante — o expediente, em busca de novas pautas para o meu *blog* jornalístico. Encontrei-a deitada na cama, de frente para a televisão ligada em um filme cuja personagem, por coincidência, era dublada por ela. Incrível, desde que a conheci todos os filmes aos quais assistia pareciam ter a voz de Clara.

Do ângulo onde me encontrava não conseguia notar nenhuma diferença nos contornos do corpo, revelados somente quando se virou e veio ao meu encontro. Antes de me enlaçar com os braços finos, senti a barriga saliente roçar em mim com suavidade, depois com força, num movimento espontâneo de acomodação, como se o pequeno desejasse, lá de dentro, recuperar de uma só vez a ausência daquele que reconhecia como seu.

— Você não precisava ter vindo — eu disse. — Eu poderia ter despachado suas coisas, se soubesse para onde enviá-las. Ou melhor, se soubesse que você se mudaria. Ou melhor, se soubesse que você me deixaria sem ao menos me avisar — acrescentei subindo o tom conforme falava.

— Menos drama, Fran, por favor. Foi justamente para evitar esse tipo de cena que preferi não dizer nada.

— O que você fez é inaceitável, Clara!

— Você sabe como eu sou. Não era uma decisão definitiva. Nada é definitivo comigo. Então, resolvi ficar no Rio depois da temporada, é lá onde as coisas acontecem para atrizes como eu.

— Você não tem ideia de quantos planos fiz pra nós enquanto você esteve fora. Quantas vezes eu imaginei encontrá-la à minha espera quando chegasse do jornal, e como seria estarmos juntos todos os dias.

— Está bem — ela disse antes de dar um grande suspiro, sem paciência para ouvir minhas lamúrias. — Pedir desculpas adianta?

— Não sei. Você vai pedir?

— Céus, você é uma criança! — ela riu.

— Sou uma criança e não entendo nada. Nem a mim mesmo — emendei, tremendão.

Resolvidas as diferenças na medida do possível, pude então puxá-la contra mim e forçar um beijo. Clara também se fez entender e não demonstrou muita resistência. Logo estávamos de volta à cama, possuídos apenas por aquele estranho desejo de destruição mútua que nos aproximava desde o primeiro momento. Como se outra pessoa me controlasse, observava de uma posição privilegiada minhas peças de roupa atiradas para todos os lados do cômodo — o paletó encaixou-se com perfeição sobre a tevê e escondeu a imagem, mas não a voz dela no filme dublado. Senti a plenitude do corpo dela sobre o meu, os seios e a barriga em relevo, os lábios nos meus lábios, os olhos tristes que irradiavam prazer. Enfim, estávamos juntos: Clara, a voz dublada, eu e a criança, que pela primeira vez em sua curta existência deve ter experimentado a sensação de *déjà vu*.

Despertei apenas na manhã seguinte com o balançar provocado pelo peso da mala atirada sobre o colchão. No estado de semiconsciência em que me encontrava, a figura de Clara contra a luz da janela a recolher os pertences ainda se misturava a anjos invisíveis e monstros com a cara de Miriam Saboia e a voz de Jorge Gentil. Ela ainda usava a minha gravata — ou o que sobrara dela após uma noite de amor pouco convencional — sobre o torso nu. Havia poucas peças de roupa dela no armário, em contraste com a enorme quantidade de camisas e ternos — sim, ela tinha razão quando dizia que eu era a mulher da relação.

Clara executou todo o trabalho em um incômodo silêncio e fez menção de ir embora sem ao menos dizer uma palavra ou me escutar. Foi preciso me colocar entre ela e a porta para conseguir um pouco de atenção. Só então voltou a me olhar de frente, com um ar de desprezo fulminante.

— Eu tenho voo marcado — ela disse.

— Por favor, Clara. Você não veio até aqui só pra buscar meia dúzia de roupas, confesse.

— Se soubesse que precisaria me submeter a tanto para ter as minhas coisas de volta, não teria mesmo vindo. Obrigada por fazer a minha autoestima afundar mais um pouco para o bueiro.

— Você mesma disse que nada é definitivo. O que mudou desde a noite passada?

— Eu me lembrei do quanto você é insuportável, Alberto Franco.

— Não, você jamais esqueceria esse meu atributo tão marcante. Por que não fica? Vamos nos dar mais uma chance.

— Contando a noite passada, nós já tivemos umas trezentas chances, Fran.

— Agora vai ser diferente. Você tem o bebê. E a mim.

— Eu nunca quis você. E o bebê eu só carrego porque não tem outro jeito.

— Clara, por várias vezes eu estive disposto a nunca mais vê-la. E aqui estamos nós de novo.

— O que o faz imaginar que agora seria diferente? — ela questionou sentando-se impaciente sobre a mala.

— Eu podia deixar você ir, mas agora entendi tudo. Tudo está escrito, é o que a vidente me disse — falei sem tirar os olhos dos dela.

As palavras mágicas abriram um mundo novo de possibilidades para nós. Clara de repente abriu um sorriso tenso e largou a mala sobre o tapete da sala, puxando-me ao encontro dela. De alguma forma, eu sabia que a menção a Carmem faria que ela permanecesse comigo, pelo menos até ganhar tempo para mais alguma artimanha. A ameaça de um revólver calibre 38 empunhado na direção dela também deve tê-la ajudado na decisão de ficar. Convicções à parte, não podia deixá-la cumprir a ameaça de ir embora para sempre, nem arriscar a possibilidade de que estivesse blefando. Em resumo: não era possível confiarmos um no outro sob nenhuma circunstância.

19

Pense bem: sob outra perspectiva, o curso dos acontecimentos fluiria em uma ordem mais ou menos normal. Com o tempo, eu me tornaria um jornalista de razoável credibilidade, estabelecido e equilibrado financeiramente. Logo conheceria uma garota interessante, inteligente e bonita com quem desejaria ficar e passar os dias que viessem, não sem antes testar e dispensar várias outras candidatas. Esse destino que parecia me perseguir desde que conseguira o emprego no *Jornal* de uma forma ou de outra sempre era atravessado por Clara. Devia haver algo de especial ou diabólico em nossa relação, ou tudo não passava de uma grande coincidência, pensei na ocasião.

Foi preciso abrir mão da rotina confortável dos últimos tempos para permanecer ao lado dela. A parte mais difícil foi largar a mordomia do *Jornal*, mas precisava provar que não era um burocrata preso a um emprego, embora ela estivesse certa ao pensar assim a meu respeito. Imagino que tenham demorado a se dar conta da minha ausência na redação; o salário só deixou de cair na conta três meses depois de eu abandonar o trabalho.

Todo o sacrifício tinha uma motivação: o bebê. Seria, no mínimo, uma irresponsabilidade abandoná-lo à sorte de Deus e aos humores de Clara. O tempo corria a seu favor, no seguro ventre da mãe, sem saber da estranha, confusa e falsa realidade do lado de fora.

— É uma menina — ela revelou.

— Eu já sabia — respondi sem dar maior importância.

— Agora é fácil dizer.

— Por que o espanto, não posso ter os meus momentos de clarividência? Afinal, minhas chances de acerto eram de cinquenta por cento — emendei.

Uma menina, veja só. Alberto Franco não estava preparado para isso, era uma responsabilidade grande demais para alguém que não conseguia sequer manter um emprego digno durante o tempo de uma gestação. Se puxasse a mãe, ela seria uma bela garota. Isso depois de alguns meses, já que todo bebê recém-nascido tem a mesma cara de quem era feliz e não sabia, mais ou menos como me sentia desde que Clara e eu nos exilamos no apartamento. Eu precisava cuidar da criança e prepará-la para enfrentar momentos como aquele, e quem sabe assim ela não cometeria o mesmo erro de se apaixonar por algum Alberto Franco, como a mãe.

Na verdade, não era bem paixão o sentimento que a movia. Clara permanecia dia após dia ao meu lado com um único objetivo: cumprir o destino revelado a ela pela vidente. "Tudo está escrito", repetia para mim quase todos os dias, como uma forma de mascarar o próprio infortúnio. No meu caso, a profecia haveria de se cumprir de modo literal. Clara me fez largar tudo para me concentrar na tarefa de escrever uma nova história. No fundo, foi o que sempre desejei fazer: dedicar todo o meu talento ao ofício criativo. Em breve seria capaz de retribuir com uma grande obra-prima para a posteridade, quem sabe um épico revolucionário, um romance de geração que reconstituiria a linha do tempo universal.

— Linha do tempo universal? Isso é ridículo, Fran — criticou Clara ao ler as primeiras páginas no velho *laptop* de Nélio que acabei confiscando para mim.

Ela me massacrava a cada novo começo de história que lhe apresentava. Não que meus textos estivessem necessariamente ruins. Uma reprodução fiel que fiz dos primeiros parágrafos de *Os Irmãos Karamazov*, só para testá-la, foi taxada de "sem vida" e "ilegível". Ela tinha certa razão, porém, ao ser exigente. A história precisava ser original, e quanto mais ela me cobrava, mais me forçava a ir além de algo nunca imaginado antes, até chegar a uma história que mudaria os rumos da própria história. Nem preciso dizer que tal pretensão era muito mais do que vinha tentando fazer, sem sucesso, havia anos: escrever algo ao menos verossímil. Assim, a cada observação ou comentário negativo, alterava o texto recém-escrito, às vezes nem escrito, e caminhava sem direção por um lugar tão incógnito como o que me encontrava. Eu não passava de um impostor que não conseguia ir muito além dos roteiros e textos teatrais adaptados.

Embora nada abalasse meu ego destroçado de outros carnavais, temia que ela perdesse a confiança em mim e decidisse partir. Ou que decidisse partir uma vez concluída a história, que avançava no ritmo moroso da minha inspiração. A presença constante de Clara era essencial e ao mesmo tempo um desestímulo para o trabalho. Na maior parte do tempo, permanecíamos na cama, fazendo sexo ou acompanhando o lento e ritmado crescimento da vida dentro dela.

Às poucas notícias do mundo exterior eu só tinha acesso ao sair para fazer compras essenciais, como comida e psicotrópicos. Foi quando ouvi falar pela primeira vez sobre o desaparecimento da atriz Clara Bernardes. No começo, achei engraçado ouvir a fofoca entre as duas senhoras à minha frente na fila do caixa, até saber da parte em que a polícia desconfiava de sequestro e estava atrás de informações que levassem ao paradeiro da atriz e dubladora. O que diriam os tiras que arrombassem a porta de casa e se deparassem com a imagem dela presa por algemas à cabeceira da cama? Pior ainda seria justificar a um juiz mais ortodoxo que se tratava apenas de um dos meus fetiches sexuais.

Sempre chapados, Clara e eu ríamos das próprias desgraças. Tinha certeza de que se fosse mesmo preso jamais poderia contar com um testemunho dela a meu favor. Ainda que fosse condenado à morte, ninguém poderia tirar de mim os momentos felizes que tivemos juntos, nem mesmo quando as recordações se misturassem ao veneno contido na injeção letal circulando em minhas veias. Era preciso, portanto, aproveitar ao máximo o tempo ao lado de Clara e do bebê. Podíamos passar horas apenas discutindo sugestões de nomes para a garota, e teimávamos em não chegar a um consenso.

— Você acha que eu menti? — ela me perguntou certa vez.

— Ela é minha filha, eu sei. Só porque não conseguimos pensar em um nome...

— Você vai escolher o nome dela. Acho que lhe devo isso, depois de tudo.

— Esqueça o que passou, o mais importante é ficarmos juntos.

— Você sabe que isso não é possível, não sabe?

Sem saber o que dizer, apenas fiz que sim com a cabeça. E nem tive tempo para pensar muito, pois logo estávamos fazendo sexo de novo. Mas não deixei de ficar intrigado, o que tornou os momentos de criação mais aborrecidos e pouco produtivos. A ideia de que estava tudo em minhas mãos, inclusive o destino de Clara, era inquietante por si só. Eu sentia que a redenção, até da suposta e equivocada acusação de rapto e cárcere privado, dependia da história que minha limitada criatividade relutava em criar.

Minha primeira proposta — não muito honesta, admito — foi fazer uma adaptação contemporânea (mais uma) da *Odisseia*. Sempre imaginei que minha saga tinha afinidades com a do herói perdido de Ítaca. Ao contrário de Penélope, porém, Clara oferecia bem menos resistência aos pretendentes que a cortejavam na ausência do homem amado — ela nem sequer esperou a guerra para tecer a minha mortalha. A comparação mais justa talvez fosse com Helena, que como Clara era a responsável, em última instância, pela sorte de todos os envolvidos nas sagas homéricas. Não chegava a ser uma atenuante, mas me confortava pensar que ambas talvez não tenham tido alternativa.

Para mim, as escolhas também foram limitadas. Não podia mais contar com o emprego no *Jornal* depois de tanto tempo ausente. Podia imaginar a expressão descontente e também perturbada de Tora ao se dar conta de que eu havia abandonado o trabalho justo quando não tinha nenhuma razão para reclamar. Imagino que até minha outrora algoz Miriam Saboia tenha sentido minha falta. Otto não era um substituto à altura, pois não sofria com as agruras às quais era submetido. Talvez apenas Daniel tenha feito algum tipo de relação entre o meu desaparecimento e o de Clara. Mas ele tinha problemas mais imediatos para tratar antes de me delatar, como convencer Antônia a esquecer de uma vez o antigo namorado.

O mundo dava a impressão de rodar ainda mais devagar do lado de fora do apartamento. O filme continuava em fase de montagem, sem previsão de lançamento, e a companhia de teatro de Edemar Solano, da qual Clara fazia parte, caiu no ostracismo após a saída da principal estrela. A notícia sobre o possível sequestro levou o nome da minha amada ao topo do estrelato de novo, até ser esquecido aos poucos, com o passar do tempo sem novidades, nem um pedido de resgate sequer. Ela não parecia arrependida de ter abdicado de tudo em meu nome, ou dissimulava essa impressão ao máximo. No entanto, mais de uma vez a surpreendi pensativa, algo infeliz, como se estar ao meu lado fosse uma transgressão forte demais para ela. Com o passar do tempo, a situação começou a me incomodar também.

— Foi bom pra você? — perguntei, na cama, logo depois de uma transa.

Eu sabia que não. O sexo comigo nunca era bom o suficiente para Clara, nem mesmo para confirmar uma mera pergunta clichê.

— Isso não tem cabimento, Fran — respondeu, sonolenta.

— Por que, então, não mente pra mim, ou finge melhor? Você não é uma atriz?

— Sei lá, não é culpa sua. Está tudo bem.

— Eu já sei, é o tamanho, só pode ser. Será que alguns centímetros fazem assim tanta diferença? — indaguei olhando na direção do meu membro, que caminhava a passos largos para o estado de repouso.

— Você está se envenenando. Nunca disse que ele era pequeno — ela disse.

— Então diga agora: é P, M ou G?

— Por favor, eu passei dessa fase...

— Melhor ainda. Mais uma razão para ser sincera — insisti.

— Está bem, só para você parar de me encher. Acho que é algo entre P e M — respondeu olhando para baixo, para se certificar.

— Você é muito técnica. Isso é bom ou ruim, afinal?

— O suficiente — desconversou.

A apreensão dela parecia não se limitar à minha desvantagem anatômica. Ora, se fosse uma questão meramente sexual, eu nem perderia tempo relatando a você esse incômodo pormenor, sem trocadilho. Quanto menos capaz de satisfazer os desejos de Clara, fossem eles quais fossem, mais distante eu ficava da missão à qual fora designado, ou predestinado, se preferir. A história inacabada representava uma possibilidade de mudança em um destino que me dizia respeito, mas não me pertencia. No fundo, Alberto Franco eram outros: o do livro que adaptei para o cinema, o jornalista pedante, o sequestrador de Clara Bernardes.

***

Retomar o controle da minha própria vida envolvia escolhas difíceis. A pior delas foi abandonar Clara adormecida na cama, na companhia da nossa querida filha. Apenas com a roupa do corpo, desci as escadas do velho prédio e fui recebido pelo reflexo do sol forte na cara. Foi bom sentir de novo o gosto da confusão e o barulho da cidade, e nem me incomodei com os vários esbarrões que tomei no caminho. Havia uma beleza inexplicável na sujeira espalhada pelo chão em embalagens plásticas e pontas de cigarro, ou na gritaria dos ambulantes que vendiam de filmes piratas a frutas recheadas com agrotóxicos na caçamba de velhas caminhonetes.

Distraído em meio ao movimento, deixei-me levar por horas pela correnteza das ruas, uma fuga estabanada e sem propósito, até chegar a um lugar que me pareceu familiar. Não pelo local em si, idêntico ao edifício de onde havia partido, mas pelo aviso escrito na frente da porta de um dos apartamentos:

AMARRAÇÃO PARA O AMOR.

PAGAMENTO DEPOIS DO RESULTADO.

Seria uma armadilha? Podia jurar que sim, principalmente porque havia caído nela antes. Cruzei a porta destrancada e me deparei com Carmem, que assistia à novela na tevê ao lado das crianças entortadoras de colheres.

— O que está fazendo aqui? — ela perguntou sem conseguir esconder a surpresa.

— Você sabe — eu disse.

— É, eu sei. Você é que não sabe, ou finge não saber.

— Pois é — falei. Já estava acostumado ao estilo dela.

— Mas você sabe as consequências do que está fazendo, do contrário não viria aqui.

— Vamos deixar o que eu sei e o que não sei de lado, ou vamos passar a noite inteira nessa lenga-lenga.

Ela desligou a tevê e me encarou. As crianças protestaram e foram para dentro da casa.

— Hoje é o último capítulo, mas eu já sei o final. Eu sempre sei o final — Carmem disse.

— Não é preciso ser vidente para isso — devolvi. — Você sabe o que eu quero, por que não facilita o processo?

— Quem dificulta tudo é você.

— Eu sei. Só quero que me diga: por que não posso ficar com Clara? Eu preciso ouvir.

— Como diria aquele filósofo inglês, você não pode ter sempre tudo o que deseja.

— Veja só quem fala, logo o Mick Jagger...

— Tudo que as pessoas esperam para o futuro é ter algo que ainda não possuem. E a esperança de conseguir é o que as move para frente.

— E comigo não foi diferente.

— Tire suas próprias conclusões. Dizer mais agora seria como contar o final de uma novela.

— Os finais de novela são todos iguais.

— Pois, então, você já sabe o que vai acontecer.

Parei um pouco para pensar. Era óbvio demais para ser verdade, ou mentira, dependendo da referência, embora qualquer verdade pudesse ser relativa conforme o ponto de vista.

— Você tem razão — falei. — Finalmente compreendi por que "tudo está escrito". Na verdade, acho que sempre soube, desde o primeiro capítulo.

De certa forma, tinha noção de quais caminhos tomara, mas parecia querer encompridá-los de propósito a fim de prolongar um desfecho que, para todos os efeitos, era inevitável. Voltei para casa sem saber se havia de fato saído. Através da janela, podia ver a cidade inóspita do lado de fora, da maneira que me agradava. Ao ligar a tevê, o reflexo emergiu sobre a sala escura até me cobrir com seu manto de luz.

Não chegou a ser uma surpresa completa assistir na tela às várias viaturas policiais e repórteres — entre os quais Pablo Piña, do *Jornal* — em frente ao prédio. No meio do tumulto e do barulho das sirenes, eu quase conseguia ouvir a notícia da descoberta do cativeiro da atriz e dubladora. Na verdade, tudo não passava de mais um recurso metalinguístico um telejornal dentro da telenovela. De repente, eu me vi parte daquela história, como se houvesse sido transportado para o outro lado da tela. Tudo parecia real demais para ser ficção: ao mesmo tempo que ouvia batidas na porta, policiais surgiram nas câmeras ameaçando arrombá-la.

Não havia onde me esconder, muito menos como esconder os exageros que cometera em nome de um amor jamais correspondido. Estava pronto para ser preso, julgado e condenado, mas com um vestígio de esperança de que o júri fosse um mínimo condescendente com um homem apaixonado. Não tinha mais nenhuma expectativa de ficar com Clara e o bebê, que pelas minhas contas afobadas entrava no nono mês de gestação. O que seria da nossa filha, a pequena garotinha sem nome que ela carregava no ventre e logo seria despejada para este mundo cruel e sem amor?

A ação dos tiras foi rápida, não tive tempo sequer de sacar o bom e velho 38 de dentro da calça, onde fazia um volume que impunha respeito em vários sentidos. Quase sem fôlego, fui arrastado escada abaixo, com as mãos para trás presas por algemas, enquanto os outros policiais ficaram no local para recolher as drogas e materiais suspeitos, como o velho computador portátil de Nélio em que se encontravam os rascunhos da minha grande saga literária, que nunca foi muito além da quinta página. Conforme descíamos os degraus, o som das sirenes aumentava, até se perder dentro dos meus próprios pensamentos.

Ao chegar à altura da rua, perdi o equilíbrio dos joelhos e caí sobre o calcanhar e o solado gasto do sapato. Uma pequena multidão de curiosos nos aguardava em um verdadeiro picadeiro improvisado, isolado por cordões de policiais, jornalistas, bombeiros e paramédicos. Todos aguardavam a atração principal, a estrela do *show*. Da janela da viatura onde fui jogado com pouca sutileza e que me levaria para a delegacia mais próxima, era possível ter uma visão privilegiada da aparição triunfante de Clara Bernardes, imersa em um choro silencioso, composto de lágrimas abundantes e soluços reprimidos sob uma pesadíssima maquiagem. De alguma forma, ela parecia me reconhecer e pedir desculpas. No meio da confusão, contudo, era impossível reconhecer qualquer fala, que mais parecia saída de uma dublagem malfeita. Tudo estava escrito, a vidente tinha razão. Ao contrário do que imaginava, porém, tudo não passava de uma trama reprisada e de segunda categoria.

Entretido na imagem, demorei a perceber o vulto a tomá-la nos braços. Num movimento defensivo, fechei os olhos, na esperança de poder parar o tempo daquele modo. Quando a tomada ganhou nitidez você apareceu pela primeira vez, triunfante, diante das luzes e dos microfones, no papel de par romântico da protagonista, que a amparou com delicadeza ao tomá-la nos braços.

— Está acabado, Clara. Não precisa mais representar — você disse, dirigindo-se na verdade a mim, certo de que aplicara um golpe vencedor diante de um adversário atônito e combalido. Minha reação não podia ser outra, eu era o próprio retrato da perplexidade. Em meio aos *flashes* das câmeras, você falou aos repórteres sobre o sucesso da operação policial que descobriu o cativeiro onde Clara e seu filho eram mantidos reféns, com base em uma denúncia anônima — provavelmente da vidente charlatã.

Sim, você tinha razão. Após a cena de grande clímax, havia pouco a esperar da história. Vocês seriam felizes, como de praxe: no casamento, com a filha nos braços, em um grande jantar com a família, rodeados de crianças, e em um avião com destino a um lugar desconhecido e paradisíaco, que se distanciaria até se fundir com o horizonte azul. A seguir, as cenas do próximo crime, que não tardaria a apagar de uma vez os rastros deixados por Clara Bernardes e por mim.

20

Eu não me cansava de ver a imagem da atriz Clara Bernardes nos seus braços — sempre me imaginando no seu lugar — como uma espécie de obsessão. Eu não podia fazer parte da sua história, mas poderia imaginá-la ao meu modo. Pouco importava o que fosse ou não verdadeiro: quando você terminasse a leitura, até mesmo eu passaria a fazer parte do plano ficcional, de onde jamais devia ter saído.

A prisão não era de todo ruim para quem estava acostumado a permanecer fechado em espaços pequenos, como uma sala de cinema. Melhor seria dividir a cela com Clara, mas na falta dela precisava me conformar com os três marmanjos que ocupavam os beliches destinados a detentos com nível universitário que aguardavam julgamento: Nélio Cenize, o famoso criminoso da internet, Daniel Provença, o jornalista preso por assassinar a fotógrafa com quem namorava antes de ser largado; e Renato, um comparsa de Nélio que a todo momento tentava me fazer esquecer Clara oferecendo-me seus próprios serviços. De alguma forma, nós nos complementávamos em nosso próprio abandono, fosse em uma república pós-estudantil ou à espera de uma sentença que nunca viria.

Concentrado nessa tarefa de lhe escrever, quase não tive notícias do filme até ler uma pequena nota sobre a pré-estreia no

Jornal. A comédia adaptada do seu romance teria uma sessão para convidados naquela noite. O filme recebeu boas críticas, apesar de ter fugido um pouco da proposta original e ficado longe de retratar a essência do seu livro. Meu nome não constava nos créditos, ainda que minha participação houvesse se tornado muito maior que a de um mero roteirista. Achei graça, pois de pouco ou nada me importava o reconhecimento. No fundo, devo ter entrado nessa por achar que, ao criar ou adaptar minhas próprias histórias, poderia fazer o que quisesse delas. Se minha obsessão se revelasse verdadeira, não teria perdido Clara para você nem perdido tudo que tinha por Clara. Bem, é provável que minha sorte fosse ainda pior, embora sob uma aparência mais afortunada, se eu houvesse optado por mantê-la comigo. A verdade é que ter Alberto Franco como herói de alguma história, ainda que contada por ele próprio, parecia absurdo demais até para uma ficção.

Confesso que, ao chegar aqui, deparei-me com a parte mais difícil. Não tinha ideia de como dar um fim à minha saga. Quer dizer, o texto precisaria estar completo quando lhe entregasse, incluindo a ação que se desenvolvesse depois deste parágrafo. Esse problema de ordem prática não me impediu de imaginar também o que aconteceria se eu conseguisse, ao menos por uma noite, fugir e me dirigir ao cinema onde o filme seria exibido pela primeira vez em público.

Na minha história, não havia policiais nem prisão. Eu estava livre para ir aonde quisesse, da forma como me conviesse. Mesmo assim, demorei um pouco antes de dar a partida no carro. Examinei as paredes que me comprimiam no espaço interno, como se precisasse ter certeza de que conseguiria engatar as marchas e acelerar. Relembrando os acontecimentos como não aconteceram, ficava difícil saber quem estava na direção. Seria uma oportunidade única de rever Clara em todo o esplendor. Como em uma canção de Roberto, eu teria sempre a lembrança do rosto puro e dos cachos esvoaçantes e singelos da minha amada, nem que fosse em alguma das minhas vidas passadas, onde jamais teria coragem de cortar o trânsito enquanto o vento batia com força na minha cara através da janela aberta do automóvel em alta velocidade. Por isso corro demais...

Doni Calçada esqueceu-se de me convidar, ou nem sequer sabia que deveria fazê-lo. O produtor fanfarrão foi o primeiro conhecido a quem encontrei, ainda na porta do prédio restaurado que agora fazia as vezes de sala de cinema. Na minha história inventada, foram várias as ocasiões em que Renato e eu passamos tardes inteiras assistindo a filmes de graça ali. Como um bom anfitrião, ele veio ao meu encontro.

— Boa-noite. Obrigado por ter vindo. Eu sou o produtor do filme, e você...

— Alberto Franco, seu escravo.

Ele sorriu, incrédulo.

— Meu escravo, não. Pois essa é a sua noite — ele disse franzindo os olhos, antes de cair nos braços de outro convidado.

Os atrasos na produção do filme, a falta de dinheiro e o calote nos fornecedores ficaram para trás. Até os credores cumprimentavam Doni de maneira efusiva. O produtor não perdeu a oportunidade e fez questão de anunciar vários projetos novos, inclusive uma possível continuação do filme. Clóvis Brandão, o inseguro e perfeccionista diretor, também estava lá. Ansioso, respondia com acenos contidos aos cumprimentos e tentava esconder o nervosismo antes da sessão.

O lugar não demorou a ficar cheio. Esbarrei em atores coadjuvantes e em alguns profissionais que participaram das filmagens enquanto tentava me apoderar do vinho espumante servido por garçons cuja atuação era pior que da maioria dos atores do filme. Ninguém se deu conta da presença de um fugitivo da

Justiça, nem mesmo Daniel Provença, que naquele dia publicara uma crítica positiva do filme — talvez a primeira em toda a vida — e agora circulava com desenvoltura entre as pessoas. Depois, quedou-se por algum tempo conversando com um homem de estatura baixa bem parecido com Tom Zé. Outra presença disputada era a do dramaturgo e diretor teatral Edemar Solano, autor da premiada e polêmica peça *Sodorra e Gomoma*. Havia ainda gente de cinema, pessoas que estavam em todas as pré-estreias, convidados de ocasião e estudantes de cinema e amigos que fizeram estágio na produção.

Assistindo à cena de longe, percebi o quanto aquele *glamour* era uma grande bobagem. Nada se comparava ao processo de criação, agora eu sabia. Conforme passava o tempo, e a certeza de que não seria desmascarado, menos à vontade me sentia, como se eles também se tornassem estranhos para mim. A chegada quase que ao mesmo tempo dos protagonistas acabou por impelir o desejo de desistir de tudo e ir embora. Os dois atores principais surgiram juntos, como se houvessem reincorporado o espírito do filme, com cara de poucos amigos e rodeados por belas mulheres, algumas delas também atrizes.

Clara Bernardes acabou driblando com habilidade os holofotes e os *flashes* das máquinas fotográficas. Quando percebi, ela já estava ao seu lado, com a grande barriga que a qualquer momento traria ao mundo uma bela menininha, diziam as revistas de celebridades. Em uma das mãos, segurava um copo com um líquido transparente, que poderia tanto ser um suco como um drinque venenoso. Na ponta dos dedos da outra mão, sustentava o canudo, enquanto sugava o líquido com os lábios quase cerrados e um semblante de prazer que jamais expressou comigo nas vezes que fizemos amor.

Ali estávamos Clara e eu de novo, como dois desconhecidos. Ou quem sabe aquela fosse a primeira vez. Não importa, era sempre bom vê-la, embora a distância tornasse a situação um pouco mais melancólica. Podia ouvi-la nas dublagens e assistir à atuação dela em peças e filmes, mas não era o mesmo, pois nunca seria ela, e sim um personagem com vida e história distintas. O fato é que jamais terei certeza se Clara alguma vez foi ela própria.

Aproximei-me dela em um momento em que estava afastada de você e falei, apontando na direção da barriga:

— Por que não Helena?

Ela se virou para mim, mas sem me encarar, antes de responder:

— É um nome bonito. Já sugeriram, mas o pai não gostou — disse apontando na sua direção.

— O amor por Helena deu início a uma guerra, a uma revolução. Se fosse minha filha, era assim que ela se chamaria.

— Interessante... Gostei de Helena, acho que ela também — confirmou pousando as mãos na barriga na tentativa de comunicar a decisão ao bebê.

Aquele era o sinal de que eu tanto precisava. Juro para você que se ela não aceitasse minha sugestão de nome eu seria capaz de arrancar a criança à força do ventre e levá-la comigo. Era minha filha, ela dissera a verdade, ao menos sobre isso.

— Trouxe um presente para você — eu disse, passando a ela o gravador. — Para as suas falas.

— Como você sabia?

— Procure uma vidente chamada Carmem. Ela tem as respostas, ou uma maneira de você chegar a elas.

Antes que ela se surpreendesse ainda mais ao escutar nossas vozes no aparelho, dei-lhe as costas e me dispersei na multidão que lotava o cinema. Acabei esbarrando no pai de Clara, o velho milionário que nem me olhou na cara quando fomos apresentados. Com ele estavam, além da mãe, a irmã dela e Mateus, o sobrinho.

— Oi, tio! Vamos jogar bola? — ele gritou ao me ver.

— Vamos. Mas o que você está fazendo aqui? Esse filme é de adulto.

— Ele só veio dar um beijo na tia Clara — disse a irmã puxando o garoto pelo braço.

— Ela é uma chata, mãe!

— Tem razão, Mateus — falei para ele, de joelhos para ficar da mesma estatura. — Tia Clara é uma chata, mas vou lhe contar um segredo: eu a amo como nunca.

A sessão estava para começar. Em busca do melhor lugar e para evitar as primeiras e insalubres poltronas, as pessoas se amontoavam ao fundo da sala. Sob o pretexto de que precisava entregar um pacote a você, obtive autorização para entrar mesmo sem convite. Sabia onde encontrá-lo, acomodado nos assentos reservados, perto de outros participantes do filme. Clara sentou-se um pouco mais à frente, com os pais. Sem um plano definido, nem sequer uma forma de abordagem, precisava me apressar antes de as luzes se apagarem. Pedi licença às pessoas e me postei entre você e uma moça da produção.

— Gostaria de lhe entregar isto — eu disse, repassando o pacote protegido por um envelope de cor parda.

— Não é uma carta-bomba, é? — você brincou, arrancando gargalhadas e chamando a atenção dos demais, como se uma pessoa em pé entre as fileiras de uma sala de cinema não fosse chamativo o suficiente.

— Você vai entender quando ler — respondi.

— Desculpe, recebo vários pedidos como este, mas não tenho paciência nem sou a pessoa mais indicada para avaliar...

— Eu sei que você está com dificuldades para escrever um novo romance.

Nesse momento, uma pequena audiência assistia ao nosso debate.

— Ora, meu livro está quase terminado. Faltam apenas alguns detalhes...

— O seu livro está dentro deste envelope. Eu vim entregá-lo.

— E quem diabos é você? — você perguntou, do modo como costumo fazer.

— Pode me chamar de diabo mesmo. Mas meu nome é Alberto Franco — eu disse, com convicção e em voz alta.

— Alberto Franco? — você riu. — Queira me desculpar, mas Alberto Franco sou eu.

Ao ouvir a conversa duas fileiras à frente, um dos atores que interpretou o protagonista no filme levantou-se e falou, em voz alta:

— Mentira! Alberto Franco sou eu!

Em seguida, foi a vez de Clóvis Brandão, em um raro momento de extroversão:

— Não, senhor! — contestou. — Eu sou Alberto Franco, o diretor deste filme.

— Desculpem, senhores. Eu sou o produtor. E aqui, quem tem direito de ser Alberto Franco sou eu! — gritou Doni Calçada do outro lado da sala.

— Alberto Franco é o amor da minha vida, por isso somos um só. Alberto Franco sou eu! — reivindicou Clara, de longe, para espanto dos pais, que logo também decidiram participar da cena.

Num instante, toda a sala de cinema estava em pé, todos se autodeclarando Alberto Franco, em uma *performance* não ensaiada. Reconheci vários rostos no meio da plateia. Podia distinguir com perfeição a voz majestosa do dublador Jorge Gentil, que me encarava com a cumplicidade de um velho inimigo, e a atuação da Grande Dama, em um emocionante monólogo de ode a Alberto Franco, cuja interpretação, no futuro, lhe renderia mais um prêmio.

Antes de terminar, preciso admitir: nem tudo estava escrito, como dissera a vidente. O que o papel omitiu, e agora faço questão de dizer só para cumprir a profecia, é que Alberto Franco nunca esteve interessado em ser ele próprio. Alberto Franco só desejava criar um personagem tão interessante quanto Alberto Franco, a ponto de, algum dia, alguém desejar ser esse Alberto Franco, não o roteirista, e sim o personagem criado por ele. Abandonar a máscara desse personagem e entregá-la a você não me trazia nenhum orgulho, apenas uma forma de paz interior. Eu estava finalmente pregado na cruz, à espera da última tentação. De forma intuitiva busquei Clara mais uma vez com o olhar, mas tudo que vi foram cabeças rolando sobre os pescoços. Todos ocupados demais com vidas que não lhes pertenciam.

A balbúrdia na sala de cinema diminuiu somente quando as luzes foram apagadas e o filme começou a ser exibido, embora não possa lhe dizer com convicção como isso aconteceu, assim como todo o resto, pois quando apareci pela primeira vez na grande tela já estava bem longe do lugar, com lágrimas nos olhos e um gosto amargo na garganta, submerso em uma inútil tentativa de reescrever na mente um destino diferente daquele que me aguardava antes dos créditos finais.

São Paulo, dezembro de 2011.

INFORMAÇÕES SOBRE A

GERAÇÃO EDITORIAL

Para saber mais sobre os títulos e autores
da **GERAÇÃO EDITORIAL**,
visite o site www.geracaoeditorial.com.br
e curta as nossas redes sociais.

Além de informações sobre os próximos lançamentos,
você terá acesso a conteúdos exclusivos
e poderá participar de promoções e sorteios.

geracaoeditorial.com.br

/geracaoeditorial

@geracaobooks

@geracaoeditorial

Se quiser receber informações por e-mail,
basta se cadastrar diretamente no nosso site
ou enviar uma mensagem para
midias@geracaoeditorial.com.br

GERAÇÃO EDITORIAL

Rua Gomes Freire, 225 – Lapa
CEP: 05075-010 – São Paulo – SP
Telefax: (+ 55 11) 3256-4444
E-mail: geracaoeditorial@geracaoeditorial.com.br